Le Mépris

ŒUVRES PRINCIPALES

Alberto Moravia

Le Mépris

Traduit de l'italien par Claude Poncet

Texte intégral

Titre original :
Il Disprezzo

© Bompiani, 1954

Pour la traduction française :
© Flammarion, 1955

1

Durant les deux premières années de mon mariage, mes rapports avec ma femme furent, je puis aujourd'hui l'affirmer, parfaits. Je veux dire que pendant ces deux années l'accord complet et profond de nos sens s'accompagnait de cet obscurcissement ou, si l'on préfère, de ce silence de l'esprit qui, en de telles circonstances, suspend toute critique et s'en remet à l'amour seul pour juger la personne aimée. Emilia me semblait absolument sans défauts et je crois que je paraissais tel à ses yeux. Ou peut-être voyais-je ses défauts et voyait-elle les miens, mais, par une transmutation mystérieuse due à l'amour, ils nous semblaient à tous deux non seulement pardonnables mais en quelque sorte aimables, comme si au lieu de défauts ils eussent été des qualités d'un genre particulier. Bref, nous ne nous jugions pas : nous nous aimions. L'objet de ce récit est de raconter comment, alors que je continuais à l'aimer et à ne pas la juger, Emilia au contraire découvrit ou crut découvrir certains de mes défauts, me jugea et, en conséquence, cessa de m'aimer.

Plus on est heureux et moins on prête attention à son bonheur. Cela pourra sembler étrange, mais au cours de ces deux années j'eus même parfois l'impression que je m'ennuyais. Non, je ne me rendais pas compte de mon bonheur. En aimant ma femme et en étant aimé d'elle je croyais faire comme tout le monde ; cet amour me semblait un fait commun, normal, sans rien de précieux, comme l'air que l'on respire et qui n'est immense et ne devient inestimable que lorsqu'il vient à vous manquer. En ce temps-là, si quelqu'un m'avait fait remarquer que j'étais heureux, je me serais récrié. Selon toute probabilité j'aurais répondu que je ne possédais pas le bonheur puisque tout en aimant ma femme et étant payé de retour, je n'avais pas la sécurité du lendemain. C'était exact, nous arrivions à peine à nous tirer d'affaire avec mon labeur ingrat de critique de cinéma dans un quotidien de seconde importance et d'autres travaux journalistiques du même ordre. Nous vivions dans une chambre meublée chez un logeur en garnis ; l'argent nous

manquait souvent pour le superflu et parfois même pour le nécessaire. Comment dès lors aurais-je pu être heureux ? En fait jamais
je ne me suis autant lamenté qu'à cette époque où – je pus m'en
rendre compte plus tard – j'étais pleinement et profondément heureux.

Au bout de ces deux premières années conjugales, nos conditions d'existence finirent par s'améliorer : je fis la connaissance de
Battista, un producteur de films et j'écrivis pour lui mon premier
scénario, travail que je considérais alors comme provisoire et qui
devait au contraire devenir ma profession. Au même moment
cependant mes rapports avec Emilia commencèrent à se modifier
de façon fâcheuse. Mon histoire s'ouvre précisément sur mes
débuts dans le métier de scénariste et le premier refroidissement
dans nos rapports conjugaux, deux événements presque contem-
porains et – on le verra plus tard – en relation directe.

Si ma mémoire remonte le cours du temps, il me semble garder
un souvenir confus d'un incident qui me parut sur l'heure insignifiant mais qui, par la suite, devait assumer pour moi une importance décisive. Je me vois sur le trottoir d'une rue du centre de la
ville. Emilia, Battista et moi avons dîné au restaurant et Battista
nous ayant proposé de finir la soirée chez lui, nous avons accepté.
Nous sommes tous trois devant l'auto de Battista, une voiture
rouge de grand luxe mais étroite et n'ayant que deux places. Battista, déjà assis au volant, se penche et ouvre la portière en disant :

– Je regrette, mais je n'ai qu'une place… Molteni, vous devriez
venir par vos propres moyens… à moins que vous ne préfériez
m'attendre ici ; en ce cas, je reviendrai vous prendre. – Emilia est à
mes côtés, elle a une robe de soie noire, décolletée et sans
manches, la seule qu'elle possède, et elle tient sur le bras son manteau de fourrure. Nous sommes en octobre et il fait encore chaud.
Je la regarde et, je ne sais pourquoi, je remarque que sa beauté
d'ordinaire sereine et placide est comme empreinte d'une inquiétude, d'une sorte de trouble insolite. Je dis gaiement : – Emilia, va
donc avec Battista… Je vous rejoins avec un taxi. – Emilia me
regarde, puis répond lentement sur un ton de contrainte :

– Ne vaudrait-il pas mieux que Battista nous précède et que
nous prenions tous deux un taxi ? – Battista passe la tête en dehors
de la portière et s'exclame en plaisantant :

– C'est gentil ! Vous voulez me laisser tout seul ?… – Non
réplique Emilia – seulement… – Et tout à coup je m'aperçois que
son beau visage si calme et harmonieux d'habitude s'est assombri
et paraît décomposé par une perplexité presque douloureuse. Mais
j'ai déjà prononcé :

– Battista a raison, allons, va avec lui, je prends un taxi. – Voici
que, tandis que j'écris ces lignes, une nouvelle sensation me revient

à la mémoire : une fois assise à côté de Battista, la portière étant encore ouverte, ma femme me lance un regard chargé à la fois d'incertitude, de prière et de contrariété. Je passe outre, et, du geste décidé avec lequel on ferme un coffre-fort, je fais claquer la lourde portière. La voiture démarre et tout joyeux, sifflotant entre mes dents, je me dirige vers la plus proche station de taxis.

La maison du producteur n'est pas loin du restaurant : normalement je devrais, avec mon taxi, arriver sinon en même temps du moins aussitôt après Battista. Mais à mi-chemin, à un carrefour, voici qu'un incident se produit. Mon taxi et une auto particulière se prennent en écharpe, les deux voitures ont des dégâts : une aile du taxi est éraflée et aplatie, l'autre voiture a une portière endommagée. Les deux chauffeurs mettent pied à terre, s'affrontent, discutent, s'injurient ; des gens accourent, un agent intervient, sépare à grand-peine les antagonistes et finalement se fait donner leurs nom et adresse. Pendant ce temps j'attends dans le taxi, sans impatience, presque envahi de béatitude car j'ai bien mangé et bien bu et sur la fin du dîner Battista m'a proposé de participer au scénario de son film. Cependant l'accident et les explications qui s'ensuivent ont bien duré dix à quinze minutes et j'arrive en retard chez le producteur. En entrant dans le salon, je vois Emilia assise dans un fauteuil, les jambes croisées et Battista debout dans un angle de la pièce, devant un bar portatif. Il me salue gaiement ; par contre, Emilia sur un ton plaintif, presque suppliant, me demande ce que j'ai fait pendant tout ce temps. Je réponds légèrement que j'ai eu un petit accident et je sens que je parle d'une façon évasive, comme si j'avais quelque chose à cacher. En réalité, c'est que je n'attribue aucune importance à mes propos. Mais Emilia insiste, toujours de la même voix singulière : – Un accident ?… quel accident ? – Alors, étonné, un peu alarmé même, je raconte ce qui s'est passé. Seulement cette fois je donne trop de détails : on dirait que j'ai peur de n'être pas cru. Et finalement je me rends compte que j'ai été maladroit autant par mes réticences que par mes précisions. Mais Emilia n'insiste pas et Battista, tout sourires et amabilité, dispose trois verres sur la table et m'invite à boire. Je m'assieds et tout en bavardant et plaisantant, Battista et moi surtout, deux heures passent. Battista est si gai et exubérant que je m'aperçois à peine qu'Emilia, elle, ne l'est pas du tout. D'ailleurs étant timide, elle est de nature plutôt silencieuse et renfermée, aussi sa réserve ne m'étonne-t-elle pas. Pourtant je suis un peu surpris qu'elle ne participe pas à notre conversation au moins du sourire et du regard, ainsi qu'elle le fait d'habitude : elle ne sourit pas, n'a pas un regard pour nous et se contente de fumer et de boire en silence, comme si elle était seule. À la fin de la soirée, Battista me parle sérieusement du film auquel je dois collaborer, m'en conte le sujet, me donne des renseignements sur le metteur en scène et sur mon collègue scénariste et il conclut en m'invitant à me rendre le jour suivant à son bureau pour signer mon contrat. Emilia profite du moment de silence qui suit cette invitation pour se lever et dire qu'elle est lasse et désirerait rentrer à la maison. Nous prenons congé de Battista et descendons. Une fois dans la rue, nous marchons sans mot dire jusqu'à la station de taxis. Nous en prenons un et nous voilà roulant. La proposition inespérée de Battista me rend fou de joie et je ne puis m'empêcher de dire à Emilia : – Ce scénario arrive à pic !... je ne sais comment nous aurions pu continuer à vivre... j'allais être acculé à faire des dettes. – Pour toute réponse, Emilia me demande : – Combien cela se paie-t-il, un scénario ? – J'énonce un chiffre et j'ajoute : – Voilà nos problèmes résolus, au moins pour cet hiver ! – et, en même temps, ma main cherche la main d'Emilia et la serre. Elle se laisse faire et ne dit plus un mot jusqu'à notre arrivée chez nous.

2

Après cette soirée, tout, en ce qui concernait mon travail, se passa pour le mieux. Je me rendis le matin suivant chez Battista, signai le contrat et reçus ma première avance sur mes honoraires. Il s'agissait, si je m'en souviens bien, d'un film de peu d'importance, comico-sentimental, genre qu'avec mon esprit sérieux je ne jugeais guère dans mes cordes et qui au contraire, au cours du travail, révéla en moi une vocation insoupçonnée. Le jour même, j'eus une première réunion avec le metteur en scène et l'autre scénariste.

Tandis qu'il m'est possible de dater avec exactitude le début de ma carrière de scénariste, c'est-à-dire la soirée chez Battista, il m'est très difficile de dire avec la même précision quand mes rapports avec ma femme commencèrent à s'envenimer. Évidemment, je pourrais remonter à la même soirée, mais ce serait, comme on dit, juger à coup sûr, d'autant que, pendant quelque temps encore, Emilia ne manifesta aucun changement dans son attitude envers moi. Ce changement se vérifia certainement durant le mois qui suivit ladite soirée, mais je ne puis vraiment préciser à quel moment, dans l'âme d'Emilia, les plateaux de la balance basculèrent, ni ce qui provoqua cette rupture d'équilibre. À cette époque, nous voyions Battista presque chaque jour et je pourrais raconter avec force détails bien d'autres épisodes analogues à celui que j'ai déjà cité, épisodes qui alors, et à mes yeux tout au moins, ne se distinguèrent en rien de la couleur générale de ma vie mais qui, par la suite, acquièrent tous, plus ou moins, un relief et un sens particuliers. Je voudrais seulement noter un fait : toutes les fois que Battista nous invitait – et cela arrivait désormais assez souvent – Emilia montrait une certaine mauvaise grâce à m'accompagner. Sa résistance n'était, il est vrai, ni bien forte ni bien résolue, mais elle était étrangement persistante dans son expression et ses justifications. Pour ne pas venir avec nous elle trouvait toujours quelque prétexte qui n'avait rien à voir avec Battista et toujours je lui démontrais aisément que son prétexte était futile et j'insistais pour savoir si la vraie raison n'était pas une antipathie pour Battista. Chaque fois, elle répondait à ma question, avec une ombre de perplexité, que Battista ne lui était pas antipathique, qu'elle n'avait rien à lui reprocher et qu'elle désirait seulement ne pas sortir avec nous parce que ces soirées la fatiguaient et, au fond, l'ennuyaient. Je ne me contentais pas de ces explications vagues et il m'arrivait souvent d'insinuer que quelque chose avait dû se passer entre elle et le producteur sans même que ce dernier l'ait voulu ou s'en soit rendu compte. Mais plus je cherchais à la persuader qu'elle n'avait pas de sympathie pour Battista, plus Emilia paraissait s'ancrer dans ses dénégations : sa perplexité finissait par disparaître complètement ne laissant qu'obstination et décision têtue. Alors, tout à fait rassuré sur ses sentiments vis-à-vis de Battista et sur la conduite de celui-ci à son égard, je m'attachais à illustrer les raisons qui militaient en faveur de sa participation à nos soirées : jusqu'ici je n'étais jamais sorti sans elle et Battista le savait…, il était content de la voir puisqu'il n'oubliait jamais de me recommander chaque fois qu'il nous invitait : – Bien entendu, vous amenez votre femme… –, cette absence inattendue et difficilement explicable pouvait être prise pour du dédain ou, pis encore, comme un affront envers Battista dont notre vie dépendait désormais… Et en somme, puisqu'elle ne pouvait me fournir un motif plausible de son absence et que j'étais par contre en mesure d'en donner de nombreux et d'excellents pour sa présence, il était sage qu'elle supportât la lassitude et l'ennui de ces soirées.

D'ordinaire Emilia écoutait mes raisonnements avec une attention songeuse, presque absorbée ; on l'eût dite moins intéressée par mes arguments que par mon visage et mes gestes. Et puis invariablement elle finissait par se rendre à mon avis et commençait en silence à s'habiller pour sortir. Au moment de partir, quand elle était déjà prête, je lui demandais une dernière fois si cela ne l'ennuyait vraiment pas de m'accompagner, non parce que j'étais incertain de sa réponse, mais parce que je ne voulais pas lui laisser de doute sur sa liberté d'action. Elle me répondait catégoriquement que cela ne l'ennuyait pas et nous sortions alors.

Tout ceci, je l'ai déjà dit, je l'ai reconstruit plus tard en recherchant patiemment dans ma mémoire la trace de nombreux faits alors insignifiants et qui au moment même passèrent pour moi presque inaperçus. À cette époque, la seule chose que je remarquai fut un changement désagréable dans l'attitude d'Emilia envers moi, sans que je pusse me l'expliquer pourtant ni le définir en aucune façon : ainsi par l'atmosphère différente et plus lourde prévoit-on l'approche de l'orage dans un ciel encore serein. Je me mis à penser que ma femme m'aimait moins que par le passé parce que je ne la trouvais plus anxieuse de ne pas me quitter comme dans les premiers temps de notre union. Si je lui disais alors : – Écoute, je dois sortir, je vais être absent deux heures, mais je reviendrai le plus tôt possible... – elle ne protestait pas, résignée, mais son visage assombri me montrait le regret qu'elle avait de mon absence. Si bien que, souvent, ou bien je renonçais à sortir et me libérais comme je pouvais de mon obligation, ou bien, quand c'était possible, je l'emmenais avec moi. Son attachement était si fort qu'un jour, m'accompagnant à la gare d'où je partais pour un très court voyage en Italie du Nord, je la vis au moment des adieux détourner la tête pour me cacher les larmes qui emplissaient ses yeux. Cette fois-là j'avais feint de ne pas remarquer son chagrin, mais tout au long de mon voyage je gardai le remords de ces larmes cachées et irrépressibles et depuis lors je ne voyageai jamais sans elle. Maintenant, quand je lui annonçais un départ, au lieu que je voie son cher visage légèrement voilé de contrariété et de tristesse, Emilia se contentait de me répondre tranquillement et souvent sans même lever les yeux du livre qu'elle était en train de lire : – Bon... c'est entendu, nous nous reverrons à dîner... ne sois pas en retard... – Parfois elle semblait même désirer que mon absence se prolongeât au-delà de mes prévisions. Je lui disais par exemple : – Je dois partir, je reviendrai à cinq heures.; – elle me répondait : – Reste dehors aussi longtemps que tu voudras, j'ai à faire de mon côté. – Un jour je lui fis observer sur un ton léger qu'elle paraissait préférer que je sois absent ; mais elle me répondit vivement que puisque d'une façon ou de l'autre j'étais occupé audehors la plus grande partie de la journée, il fallait nous contenter de nous voir à l'heure des repas, ainsi pourrait-elle vaquer tranquillement à ses affaires... Ce n'était qu'à moitié vrai : mon travail de scénariste ne m'obligeait à sortir que l'après-midi et jusqu'alors je m'étais toujours arrangé pour passer avec ma femme le reste de la journée. Depuis lors, cependant, je me mis à sortir également le matin.

Au temps où Emilia montrait un déplaisir de mon absence, je la quittais le cœur léger, content au fond de ce déplaisir comme d'une preuve supplémentaire du grand amour qu'elle me portait. Mais dès que je m'aperçus que non seulement elle ne manifestait aucun dépit mais qu'elle semblait préférer sa solitude, je commençai à éprouver une sourde angoisse, comme lorsqu'on sent manquer le sol sous ses pieds. Ainsi que je viens de le dire, je sortais maintenant tous les matins, plus l'après-midi pour mon travail, et ceci sans autre but que de constater la nouvelle et pour moi si amère indifférence d'Emilia. Elle ne montrait plus aucune contrariété, acceptait mon absence avec placidité et même peut-être, me sembla-t-il, avec un soulagement mal dissimulé. Tout d'abord, je cherchai à me consoler de cette froideur en me persuadant qu'au bout de deux ans de mariage, l'amour fait fatalement place à l'habitude, si tendre soit-il, et que l'assurance d'être aimé ôte tout caractère passionné aux rapports entre époux. Mais je sentais que ce n'était pas vrai ; je le sentais plus que je ne le pensais car la pensée dans son apparente précision est toujours plus faillible que l'obscur et trouble sentiment. Je sentais donc qu'Emilia avait cessé de déplorer mes absences non parce qu'elle les considérait inévitables et sans conséquence pour notre intimité, mais parce qu'elle m'aimait moins ou qu'elle ne m'aimait plus. Et, tout de même, quelque chose avait dû se passer pour modifier son sentiment naguère si brûlant et exclusif.

3

À l'époque où je rencontrai Battista pour la première fois, je me trouvais dans une situation extrêmement difficile pour ne pas dire désespérée et ne savais comment en sortir. Nos difficultés consistaient dans le fait que quelque temps auparavant j'avais acheté un appartement à crédit sans avoir la somme globale nécessaire à cet achat et sans savoir de quelle façon je pourrais me la procurer. Pendant deux ans nous avions habité une grande chambre meublée dans un garni. Une autre femme que la mienne aurait peut-être souffert de cette installation provisoire et, dans le cas d'Emilia, je pense qu'en l'acceptant elle m'avait fourni la meilleure preuve d'amour qu'une femme peut donner à son mari. C'est qu'en effet Emilia était le type même de la femme d'intérieur ; dans son amour pour sa maison, il y avait plus que l'inclination naturelle commune à toutes les femmes, mais quelque chose de semblable à une profonde et jalouse passion, une sorte d'avidité qui dépassait sa personne et paraissait avoir une origine ancestrale. Sa famille était pauvre. Elle-même, quand je fis sa connaissance, était dactylo. Dans cet amour de son intérieur, je suppose que s'exprimaient inconsciemment les aspirations frustrées des gens déshérités, chroniquement incapables de se procurer une maison à eux, si modeste fût-elle. Je ne sais si en m'épousant Emilia avait eu l'illusion de satisfaire ses rêves bourgeois, mais je me souviens qu'une des rares fois où je la vis pleurer, ce fut quand je lui avouai, peu après nos fiançailles, que je n'avais pas les moyens de lui offrir une maison à elle, même en location, et que pour commencer il faudrait nous contenter d'une chambre meublée. Ces pleurs, d'ailleurs aussitôt réprimés, me paraissaient exprimer non pas seulement l'amère déception de voir repoussé dans le futur un rêve longuement caressé, mais encore la force même de ce rêve devenu pour elle presque une raison de vivre.

Nous vécûmes donc ces deux premières années dans une chambre meublée ; mais quel ordre méticuleux, quelle netteté, quelle propreté Emilia y fit régner ! On sentait que dans la mesure du possible – et dans une chambre meublée cette mesure est bien limitée – elle entendait se donner l'illusion de la propriété. Faute de meubles personnels, elle voulait au moins infuser à ce misérable mobilier de garni son âme casanière et ordonnée. Mon bureau était toujours orné de fleurs ; mes papiers étaient classés avec amour, rangés de manière suggestive comme pour m'inviter au travail et me garantir le maximum d'intimité et de paix ; la petite table à thé ne manquait jamais de napperons et de boîtes à biscuits. Jamais un vêtement ou un objet quelconque ne traînait, par terre ou jeté sur une chaise comme souvent dans les logements étroits et provisoires. Après le hâtif coup de balai de la femme de ménage, Emilia en personne soumettait toute la chambre à un second et plus scrupuleux nettoyage pour que tout fût brillant à pouvoir s'y mirer, jusqu'à la poignée de cuivre de la fenêtre ou la moindre lame du parquet. Le soir, c'était elle toute seule qui voulait faire la couverture, disposant sa chemise de voile d'un côté, mon pyjama de l'autre, bordant le lit, installant impeccablement nos deux oreillers jumeaux. Le matin, elle se levait la première, allait préparer le déjeuner dans la cuisine de notre logeur et venait me l'apporter elle-même sur un plateau. Toutes ces choses, elle les faisait en silence, discrètement, sans se faire remarquer, mais avec une intensité, une concentration, un soin jaloux et réfléchi qui décelait une passion trop profonde pour être proclamée. Toutefois, malgré ses efforts pathétiques, la chambre meublée restait une chambre meublée et l'illusion qu'elle cherchait à se donner et à me donner n'était jamais complète. Alors, de temps à autre, dans des moments de lassitude et d'abandon, elle se plaignait avec, certes, cette douceur et cette placidité qui faisaient le fond de son caractère, mais aussi avec une amertume visible, me demandant jusqu'à quand durerait ce mode de vie provisoire et inférieur. Dans ce désir si modérément exprimé je sentais une vraie douleur et la pensée me tourmentait qu'une fois ou l'autre il faudrait bien arriver à la contenter.

Finalement je me décidai, comme je l'ai dit, à acheter un appartement ; je n'en avais certes pas les moyens, mais je comprenais qu'Emilia souffrait et qu'un jour peut-être elle ne pourrait plus le supporter. Pendant ces deux ans j'avais mis un peu d'argent de côté ; d'autre part, je pus emprunter une certaine somme qui me permit de faire face au premier versement. Ce faisant, je n'éprouvais pas l'agréable sentiment de l'homme qui installe sa jeune femme : j'étais inquiet et quelquefois même angoissé, car je ne voyais pas du tout comment je m'en tirerais quelques mois plus tard, quand viendrait le moment de la seconde échéance. Il m'arrivait d'être si désespéré que j'éprouvais presque une rancune contre Emilia dont la passion tenace m'avait en quelque sorte contraint à agir d'une manière imprudente.

Cependant la joie profonde d'Emilia à l'annonce de cette acquisition et plus tard les sentiments, insolites et bizarres pour moi par leur qualité et leur intensité, qu'elle laissa éclater la première fois que nous visitâmes l'appartement encore vide, me firent quelque temps oublier mon angoisse. J'ai dit que l'amour de son intérieur avait chez Emilia tous les caractères d'une passion ; j'ajouterai que, le jour en question, cette passion m'apparut liée et confondue avec la sensualité, comme si le fait de lui avoir offert un appartement m'ait rendu à ses yeux non seulement plus aimable, mais aussi – dans un sens physique – plus proche et plus intime.

Nous étions allés voir l'appartement et Emilia s'était tout d'abord contentée de parcourir avec moi les pièces froides et nues tandis que je lui expliquais la destination de chacune et mes projets touchant leur aménagement. Notre visite allait se terminer quand je m'approchai d'une fenêtre dans l'intention de l'ouvrir pour montrer à ma femme la vue dont on jouissait. Elle s'approcha et, se pressant contre moi, elle me demanda à voix basse de l'embrasser. C'était chez elle, si discrète d'habitude et presque timide dans nos rapports amoureux, une chose toute nouvelle. Troublé par cette nouveauté et par le ton de sa voix, je l'étreignis comme elle le demandait. Mais tandis que s'approfondissait notre baiser, l'un des plus ardents et langoureux que nous échangeâmes jamais, je sentis que son corps se collait davantage au mien comme pour m'inviter à une intimité plus grande. Puis d'un geste brusque elle enleva sa jupe, déboutonna sa blouse et se tendit tout entière contre moi. Comme nos lèvres se désunissaient, elle me murmura à l'oreille, dans un souffle à peine articulé : – Prends-moi ! – et tout le poids de son corps m'entraînait vers le sol. Nous nous aimâmes par terre, sur le carrelage poussiéreux, sous cette fenêtre que j'avais voulu ouvrir. Cependant dans l'ardeur de cette étreinte si insolite et si emportée je sentis autre chose que l'amour qu'Emilia ressentait en ce moment pour moi ; il s'y mêlait tout l'élan de sa passion refrénée de femme d'intérieur qui s'exprimait naturellement à travers une sensualité inaccoutumée. Dans cette étreinte consommée sur le sol poussiéreux, dans la pénombre glacée d'une chambre encore vide, c'était au donateur qu'elle se livrait, non au mari. Et ces pièces nues et sonores, odorantes de vernis et de plâtre encore frais, avaient ému au plus profond de ses viscères quelque chose que jusqu'ici aucune de mes caresses n'avait eu le pouvoir d'éveiller.

Entre cette visite à l'appartement vide et le jour de notre emménagement deux mois s'écoulèrent pendant lesquels nous étudiâmes les contrats de vente tous faits au nom d'Emilia, car je savais que cela lui faisait plaisir, et nous rassemblâmes les quelques meubles que mes moyens très limités me permettaient d'acheter. Ma première satisfaction passée, je me sentais – je l'ai déjà dit – assez inquiet de l'avenir et, à certains moments, découragé. Je gagnais évidemment assez pour vivre modestement et mettre quelque argent de côté ; mais ces économies n'étaient pas suffisantes pour payer la prochaine échéance de l'appartement. Mon découragement était d'autant plus âpre que je ne pouvais l'alléger en me confiant à Emilia dont je ne voulais pas gâter la joie. Et je me souviens de cette période comme d'un temps de grande anxiété et d'un moindre amour pour ma femme. Je ne pouvais m'empêcher de penser qu'elle ne se préoccupait nullement de savoir comment je pourrais me procurer tant d'argent, bien qu'elle connût à fond notre situation réelle. Cette pensée me tourmentait vaguement et parfois m'inspirait une certaine irritation contre elle qui maintenant, tout affairée et joyeuse, ne pensait qu'à courir les magasins, en quête de choses pour la maison et m'annonçait chaque jour, de son ton le plus calme, quelque acquisition nouvelle. Je me demandais comment, m'aimant si fort, elle ne devinait pas les cruelles préoccupations dont j'étais accablé. Elle pensait probablement que puisque j'avais acheté cet appartement, j'avais dû m'arranger pour me procurer les fonds nécessaires. Mais sa sérénité et sa satisfaction, contrastant avec mes misérables inquiétudes, me paraissaient un signe d'égoïsme et tout au moins d'insensibilité.

J'étais si préoccupé que dans ma pensée l'image que je me faisais de moi-même s'était modifiée. Jusqu'alors je m'étais considéré comme un intellectuel, un homme cultivé et un écrivain de théâtre, genre d'art pour lequel j'avais toujours nourri une grande passion et auquel je croyais être porté par une vocation innée. Cette image morale, si je puis dire, se reflétait sur mon image physique : je me voyais comme un jeune homme dont la maigreur, la myopie, la nervosité, la pâleur, la tenue négligée, témoignaient par avance de la gloire littéraire à laquelle il était destiné. Mais à ce moment de mon existence, sous la préoccupation de mes cruelles incertitudes, cette image si pleine de charme et de promesses fit place à une autre toute différente, celle d'un pauvre homme dramatiquement pris dans un misérable piège, qui n'avait pas su résister à son amour pour sa femme, avait agi à l'aveuglette et allait être obligé de se débattre Dieu sait combien de temps dans les affres mortifiantes de la pénurie. Même physiquement je me voyais changé : je n'étais plus le jeune génie de la scène, encore inconnu, mais le famélique publiciste, collaborateur de revues ronéotypées et de journaux de second plan ; ou peut-être – et c'était pire encore – le médiocre employé de quelque établissement privé ou d'une administration d'État. Cet homme cachait à sa femme pour ne pas l'inquiéter son propre tourment ; tout le jour il courait la ville en quête d'un travail que souvent il ne trouvait pas ; la nuit, il se réveillait en sursaut en pensant à ses dettes. En somme, il ne pensait qu'à l'argent, ne voyait que l'argent. Une telle image était émouvante peut-être, mais sans éclat, sans dignité, misérable et conventionnelle, comme on en voit dans les livres, et je la haïssais car j'imaginais que, le temps aidant, lentement et insensiblement je finirais malgré moi par lui ressembler. Mais c'était ainsi : je n'avais pas épousé une femme qui pût partager et comprendre mes idées, mes goûts et mes ambitions ; j'avais épousé pour sa beauté une dactylo simple et inculte, pleine, me semblait-il, de tous les préjugés et de toutes les aspirations de la classe dont elle était issue. Avec elle, impossible d'affronter l'austérité d'une vie pauvre et bohème, dans un atelier ou une chambre meublée, en attendant mes immanquables succès de théâtre. Il me fallait au contraire lui procurer la maison de ses rêves ; au risque, pensais-je avec désespoir, de renoncer peut-être pour toujours à mes chères ambitions littéraires.

Un autre fait contribua alors à accroître mon impression d'angoisse et d'impuissance en face de mes difficultés matérielles. Ainsi qu'une barre de fer s'amollit et s'assouplit au contact d'une flamme persistante, je sentais mon âme s'amollir et se replier sous les soucis qui la consumaient. J'observais en moi une envie involontaire à l'égard de ceux qui ne souffraient pas les mêmes gênes, envers les riches et les privilégiés, et cette envie s'accompagnait malgré moi de rancœur, une rancœur non pas dirigée vers des situations ou des personnes en particulier, mais qui tendait comme par une invincible inclination à se généraliser et à assumer le caractère abstrait d'une conception de la vie. En somme, dans ces jours difficiles, je sentais mon irritation et mon dégoût de la pauvreté devenir peu à peu révolte contre l'injustice dont j'étais victime et dont étaient victimes tant d'êtres semblables à moi. Cette insensible transformation de mes ressentiments personnels en état d'âme et en idées générales, je la décelais au penchant de mes pensées qui prenaient toujours et invariablement le même cours, à mes discours qui revenaient toujours sur le même sujet. En même temps, j'éprouvais une sympathie croissante pour ces partis politiques qui se font gloire de lutter contre les maux et les désordres de cette société à laquelle j'avais fini par attribuer mes tourments. Une société, pensais-je en me référant à mon propre cas, qui laisse végéter les meilleurs de ses fils et protège les pires !

Chez les gens simples et incultes, une telle évolution se fait inconsciemment, dans ce fond obscur de l'âme où par une sorte d'alchimie mystérieuse l'égoïsme se transforme en altruisme, la haine en amour, la peur en courage. Mais pour moi, habitué à m'analyser et à me définir, le processus était aussi clair et visible que si je l'avais observé chez un autre. Et pourtant je ne pouvais m'empêcher d'obéir à des déterminations matérielles et intéressées, de transformer en raisons universelles mes motifs purement personnels. Contrairement à beaucoup de gens, en cette trouble période de l'après-guerre, je n'avais jamais voulu me faire inscrire à aucun parti car il me semblait impossible de faire de la politique pour des raisons subjectives, mais seulement en vertu d'une conviction qui m'avait manqué jusqu'ici. Et j'étais agacé de sentir mes idées, mes propos, mon attitude s'en aller insensiblement à la dérive, au courant de mes intérêts, changeant de couleur selon les difficultés du moment. « Je suis donc fait comme toute cette tourbe, pensais-je avec irritation, il me suffit comme eux d'avoir la bourse vide pour rêver à la renaissance morale de l'humanité ? » Mais cette lucidité était impuissante et finalement, un jour où je me sentais plus désespéré et moins ferme que d'habitude, je me laissai convaincre par un ami qui tournait autour de moi depuis quelque temps et je m'inscrivis au parti communiste. À peine était-ce fait que j'avais le sentiment de m'être une fois de plus comporté non en jeune génie inconnu, mais comme le publiciste famélique ou le petit employé que je craignais tant de devenir à la longue. Mais désormais la chose était faite, j'étais du Parti et ne pouvais revenir en arrière. À ce propos, l'accueil d'Emilia à la nouvelle de mon inscription fut caractéristique : « Maintenant, tu ne trouveras plus de travail que chez les communistes, les autres te boycotteront. » Je n'eus pas le courage de lui dire ma pensée, c'est-à-dire que, selon toute probabilité, je ne me serais jamais inscrit au Parti si, pour lui faire plaisir, je ne m'étais rendu acquéreur de cet appartement trop coûteux. Et les choses en restèrent là.

Finalement nous emménageâmes et, par une coïncidence qui me parut providentielle, le lendemain même je rencontrai Battista qui, ainsi que je l'ai déjà raconté, me proposa aussitôt de travailler au scénario de son film. Pendant quelque temps, je fus soulagé et content comme je ne l'avais pas été depuis longtemps ; j'espérais faire quatre ou cinq scénarios pour payer notre appartement et puis revenir ensuite au journalisme et à mon cher théâtre. J'avais retrouvé, plus fort que jamais, mon amour pour Emilia et parfois même je me reprochais, avec un remords cuisant, d'avoir pu penser du mal d'elle en la jugeant égoïste et insensible. Cette éclaircie fut de peu de durée. Presque aussitôt le ciel de ma vie recommença à se couvrir. Tout d'abord, ce ne fut qu'un tout petit nuage, mais de quelle sombre couleur !

4

Ma rencontre avec Battista avait eu lieu le premier lundi d'octobre. Une semaine après, nous nous installions dans notre nouvelle demeure. Cet appartement, cause de tant de tracas, n'était vraiment ni grand ni luxueux. Il se composait de deux pièces : une vaste salle de séjour, plus longue que large et une chambre à coucher d'assez belles proportions. Par contre, la salle de bains, la cuisine, la petite chambre de la domestique étaient toutes petites, réduites, comme dans les habitations modernes, au strict minimum. Il y avait en outre un petit débarras sans fenêtre dont Emilia voulait faire une penderie. L'appartement se trouvait au dernier étage d'une maison de construction récente, à la façade lisse et blanche comme de la craie et située dans une petite rue légèrement en pente. D'un côté la rue était bordée par une rangée de maisons semblables à la nôtre, de l'autre par le mur d'enceinte du parc d'une villa dont les grands arbres touffus étendaient leurs ramures en dehors. C'était une vue agréable et, comme je le fis remarquer à Emilia, nous pouvions imaginer que rien ne nous séparait de ce parc dont çà et là, dans l'espace entre les arbres, nous apercevions les allées sinueuses, les fontaines et les ronds-points, et que nous pourrions nous y promener à notre guise.

Nous prîmes possession de l'appartement dans l'après-midi ; j'eus à faire tout le jour et j'ai oublié où nous dînâmes et avec qui. Je me souviens seulement qu'aux approches de minuit j'étais debout au milieu de la chambre à coucher, me regardant dans la glace à trois faces et dénouant lentement ma cravate. Tout à coup, je vis dans la glace qu'Emilia prenait un oreiller de notre lit et se dirigeait vers le salon. – Que fais-tu ? – demandai-je surpris.

J'avais parlé sans bouger. Toujours dans la glace, je la vis s'arrêter sur le seuil et se retourner en disant sur un ton banal : – Cela ne te fâchera pas que je couche là-bas sur le divan ?

– Cette nuit ? – prononçai-je stupéfait et ne comprenant pas encore.

– Non, toujours à partir de maintenant – répondit-elle rapidement – à dire vrai, c'est aussi pour cette raison que je désirais tant changer de logis… je ne veux plus dormir la fenêtre ouverte, comme tu le désires… tous les matins je me réveille au chant du coq, je ne peux plus me rendormir et tout le jour j'ai la tête pleine de sommeil… dis, cela ne te fâche pas ?… je pense qu'il vaut mieux dormir chacun de notre côté…

J'étais abasourdi et d'abord n'éprouvai qu'une obscure colère devant cette innovation imprévue. J'allais à Emilia : – Mais, c'est impossible… nous n'avons que deux pièces, dans celle-ci nous avons notre lit, dans l'autre les fauteuils et le divan… Quelle idée !… coucher sur un divan, même transformable, ce n'est pas confortable !…

– Je n'ai jamais eu le courage de te le dire – fit-elle en baissant les yeux sans me regarder.

– Jusqu'ici – insistai-je – tu ne t'étais jamais plainte… je croyais que tu t'étais habituée…

Elle leva la tête, contente, me sembla-t-il, que son prétexte détourne la conversation : – Je ne me suis jamais habituée, j'ai toujours mal dormi… ces derniers temps, peut-être parce que je suis nerveuse, je ne dormais presque plus… si au moins nous nous couchions de bonne heure… mais pour une raison ou une autre, c'est toujours tard et alors…

Elle s'interrompit et fit un pas vers le salon. Je la retins et lui dis en toute hâte : – Attends, si tu veux, je peux très bien renoncer à dormir avec la fenêtre ouverte… c'est entendu… à partir d'aujourd'hui nous fermerons la fenêtre.

Cette proposition n'était pas seulement de ma part une affectueuse défaite, en réalité je voulais mettre Emilia à l'épreuve. Je la vis secouer la tête et répondre avec un léger sourire : – Mais non… pourquoi te sacrifierais-tu ?… tu m'as dit toi-même que tu étouffais quand la fenêtre était fermée… Il vaut mieux nous séparer pour la nuit…

– Je t'assure que ce sera un bien petit sacrifice… je m'habituerai.

Elle parut hésiter et puis, avec une fermeté imprévue : – Non, je ne veux aucun sacrifice, ni grand ni petit… je coucherai au salon…

– Et si je te disais, moi, que cela me déplaît et que je veux coucher avec toi ?

Elle hésita de nouveau. Puis d'un ton conciliant : – Tu vois comme tu es, Riccardo ?… tu n'as pas voulu faire ce sacrifice il y a deux ans, quand nous nous sommes mariés… et maintenant, tu veux le faire à tout prix… Qu'est-ce que cela peut te faire… dans tant de ménages chacun dort de son côté et ils ne s'en aiment pas moins… tu seras plus libre le matin pour aller à ton travail… tu ne me réveilleras plus…

– Mais puisque tu prétends t'éveiller toujours au chant du coq… je ne m'en vais pas à cette heure-là !…

– Oh ! que tu es entêté ! – s'exclama-t-elle avec impatience. Et cette fois, sans plus m'écouter, elle sortit de la pièce.

Je demeurai seul, assis sur le lit qui, avec son unique oreiller, suggérait déjà la séparation et l'abandon et je restai songeur regardant vaguement la porte ouverte par laquelle Emilia était sortie. Une question me venait à l'esprit : « Si Emilia ne voulait plus dormir avec moi, était-ce parce que la lumière du jour la gênait ou simplement parce qu'elle ne voulait plus partager mon lit ? » Je penchais pour la seconde hypothèse bien que de tout mon cœur j'eusse voulu croire à la première. Et je me disais que même si j'acceptais l'explication d'Emilia, il me resterait un doute. Sans que je me l'avoue, la question finale était : « Ma femme aurait-elle cessé de m'aimer ? »

Tandis qu'absorbé par mes pensées, je laissais mes yeux errer par la chambre, Emilia allait et venait, transportant au salon après l'oreiller une paire de draps pliés qu'elle tira de l'armoire, une couverture et sa robe de chambre. Nous étions au début d'octobre et comme la température était douce, elle circulait dans la maison en chemise de voile transparent.

Je n'ai pas encore dépeint Emilia, mais je veux le faire maintenant, ne serait-ce que pour expliquer mes sentiments de cette nuit-là. Emilia n'était pas de haute taille, mais à cause du sentiment que je lui portais elle me semblait plus grande et surtout plus majestueuse que toutes les femmes que j'avais rencontrées. Je ne saurais dire si cette majesté existait vraiment ou si mes regards éblouis l'en paraient gratuitement, je me rappelle seulement que la nuit de nos noces, alors qu'elle avait ôté ses souliers à hauts talons, je la pris dans mes bras, l'étreignis et fus vaguement étonné de voir que son front arrivait à peine à mes épaules et que je la dominais de toute la tête. Mais plus tard, lorsqu'elle fut étendue à mes côtés, nouvelle surprise : son corps me sembla grand, large, puissant, alors que je savais bien qu'elle n'avait rien de massif. Ses épaules, ses bras, son cou étaient les plus beaux que j'aie jamais vus, ronds, pleins, élégants de ligne, souples dans leurs mouvements. Elle avait un visage brun avec un nez très dessiné et de forme sévère, une bouche charnue, fraîche, rieuse avec des dents d'une blancheur lumineuse et qui paraissait toujours humide et éclatante ; ses très grands yeux d'un beau marron doré et d'une expression sensuelle étaient, dans les moments d'abandon, étrangement battus et égarés. Emilia n'était pas une beauté, je l'ai déjà dit, mais elle en faisait l'effet, je ne sais pour quelle raison ; peut-être à cause de la minceur souple de sa taille qui donnait plus de relief aux courbes de ses hanches et de sa poitrine ; peut-être à cause de son port altier et plein de dignité ; ou encore de la hardiesse et de la force juvénile de ses longues jambes à la fois robustes et élancées. Il y avait en elle cet air de grâce et de calme majesté involontaire et spontané, qui ne peut venir que de la nature et qui pour cette raison paraît d'autant plus mystérieux et indéfinissable.

Or, ce soir-là, tandis qu'elle allait et venait de la chambre au salon et que je la suivais des yeux ne sachant que dire, exaspéré et embarrassé à la fois, mes regards allèrent de son visage serein à son corps qui à travers le voile de sa chemise laissait entrevoir par instants sa couleur et ses contours. Et soudain le soupçon qu'elle ne m'aimait plus assaillit de nouveau mon esprit comme une obsession, avec la sensation de l'impossibilité d'un contact et d'une communion entre ce corps et le mien. Jamais je n'avais éprouvé une telle sensation et, un instant, j'en demeurai presque étourdi et incrédule. L'amour est certainement et avant tout un sentiment ; mais aussi une ineffable et quasi spirituelle communion des corps, communion dont j'avais joui presque inconsciemment, comme d'une chose normale et tout à fait naturelle. Et maintenant, comme si mes yeux se fussent enfin ouverts devant un fait manifeste et pourtant jusqu'alors invisible, je comprenais qu'une telle communion pouvait ne pas exister et qu'entre nous elle n'existait plus. À l'instar de quiconque s'aperçoit subitement qu'il est suspendu au-dessus d'un abîme, j'éprouvais une sorte de nausée douloureuse à la pensée que notre intimité était devenue sans raison éloignement, absence, séparation.

Je m'arrêtai sur cette pensée bouleversante tandis qu'Emilia faisait sa toilette dans la salle de bains et que j'entendais l'eau ruisseler des robinets. Un sentiment aigu d'impuissance et en même temps un violent désir de le surmonter se disputaient mon âme. Jusqu'à cette heure, j'avais aimé Emilia sans effort, sans raisonnement ; mon amour avait éclos comme par enchantement, en une impulsion irréfléchie, impétueuse, inspirée, qui m'avait semblé jaillir de moi-même et de moi-même seulement. Pour la première fois je m'apercevais que cette impulsion dépendait, s'alimentait d'un élan d'Emilia, semblable au mien, et, la voyant si changée, la crainte me prenait d'être désormais incapable de l'aimer avec la spontanéité, le naturel de jadis. En somme, je craignais qu'à cette communion admirable que je venais de découvrir, succédât de ma part un acte de froide imposition et de la part de ma femme… Je me demandais quelle pourrait être son attitude à l'avenir, mais je comprenais que si je me bornais à m'imposer, je ne pourrais plus rencontrer chez elle que passivité ou peut-être pis encore.

À ce moment Emilia, rentrée dans la chambre, passa tout près de moi. Je me penchai brusquement et la saisis par le bras :

– Viens ici, je veux te parler…

Elle réagit d'abord en s'écartant de moi, puis aussitôt elle céda et vint s'asseoir sur le lit, mais à quelque distance : – Me parler… que veux-tu me dire ?

Pourquoi avais-je la gorge serrée par une soudaine anxiété ? La timidité peut-être, sentiment jusqu'alors absent de nos rapports et dont l'apparition me paraissait confirmer le changement survenu.

– Oui, je veux te parler – dis-je – j'ai l'impression qu'il y a quelque chose de changé entre nous…

Elle me lança un coup d'œil oblique et répondit avec assurance : – Je ne te comprends pas… quel changement ?… rien n'est changé…

– Pour moi non, mais toi…

– Je n'ai changé en rien… je suis toujours la même.

– Autrefois, tu m'aimais davantage… tu avais du regret quand je te laissais seule… et puis cela ne t'ennuyait pas de dormir avec moi… au contraire !

– Ah ! c'est pour cela ! – s'écria-t-elle, mais je remarquai que sa voix avait perdu de son assurance : – Je savais bien que tu pensais quelque chose de ce genre… mais pourquoi continuer à me tourmenter ainsi ?… Je ne veux pas coucher avec toi simplement parce que je veux dormir et qu'auprès de toi je n'y parviens pas, voilà tout !

Je sentais maintenant mes arguments et ma mauvaise humeur se fondre rapidement et se dissoudre comme la cire auprès du feu. Emilia était près de moi dans cette chemise troublante, légère, qui laissait transparaître les couleurs et les formes les plus intimes et secrètes de son corps ; et moi, je la désirais et je trouvais étrange qu'elle ne le sente pas, qu'elle ne se taise pas et ne se jette pas à mon cou, comme chaque fois, dans le passé, que nos regards troublés se rencontraient. D'autre part, ce désir éveillait en moi l'espoir que non seulement j'allais retrouver mon élan de jadis, mais aussi que j'allais susciter en elle le même transport. Tout bas, je lui dis : – Si rien n'est changé, prouve-le-moi !

– Mais je te le prouve chaque jour, à toute heure…

– Non, maintenant…

Et tout en parlant je me penchai vers elle, la saisis presque avec violence par les cheveux pour chercher ses lèvres. Elle se laissa attirer docilement, mais, au dernier moment, elle évita mon baiser par un léger mouvement de la tête de telle sorte que ma bouche se posa sur son cou. Je la laissai : – Tu ne veux pas que je t'embrasse ?

– Ce n'est pas cela – murmura-t-elle en arrangeant ses cheveux avec indolence – si ce n'était qu'un baiser, je te le donnerais volontiers... mais je sais où cela nous mènera et maintenant, il est tard...

Je me sentis offensé par cette façon de dissuader en faisant appel à la raison.

– Il n'est jamais trop tard pour ces choses...

Et comme je voulais l'embrasser de nouveau en l'attirant à moi par le bras, elle poussa un cri : – Aïe ! tu me fais mal !

Je l'avais à peine touchée ; au temps de notre amour, je la serrais parfois avec force dans mes bras sans lui arracher le moindre soupir : – Autrefois, je ne te faisais pas mal ! – dis-je, irrité.

– Tu as des mains de fer... – répondit-elle – et tu ne t'en rends pas compte... cela va me laisser une marque...

Tout ceci avec indolence mais, je le vis bien, sans aucune coquetterie.

– Alors, oui ou non, tu ne veux pas me le donner, ce baiser ? insistai-je brusquement.

– Voilà – elle se pencha et maternellement m'effleura le front d'un léger baiser. – Maintenant, laisse-moi aller me coucher... il est tard.

Je ne l'entendais pas ainsi ; mes deux mains la saisirent de nouveau en dessous de la taille, là où le buste se dégage de l'ampleur des flancs.

– Emilia – fis-je tandis qu'elle se rejetait en arrière – ce n'est pas ce baiser que je voulais de toi...

Elle me repoussa et répéta sur un ton franchement hostile : – Aïe ! laisse-moi, tu me fais mal !

– Ce n'est pas vrai, ce ne peut être vrai – murmurai-je les dents serrées en me jetant sur elle.

Cette fois, elle se dégagea grâce à deux ou trois gestes énergiques et simples, bondit sur ses pieds et, se décidant tout à coup, elle dit sans aucune pudeur : – Si tu veux faire l'amour, eh bien, faisons-le... mais ne me fais pas mal... je ne peux supporter de me sentir serrée de cette façon !

Je demeurai sans souffle. Cette fois, son ton était glacé, prosaïque et, je ne pus m'empêcher de le penser, sans une ombre de sentiment. Un instant, je restai immobile, assis sur le lit, les mains croisées, la tête baissée. Et sa voix m'arriva de nouveau : – Alors, puisque tu le veux vraiment, nous faisons l'amour... oui ?

– Oui – fis-je à voix basse, sans lever la tête. Je n'étais pas sincère, je ne la désirais plus désormais, mais je voulais souffrir jusqu'au bout de ce nouvel et étrange sentiment que ma femme m'était étrangère. – Bon – dit-elle en passant derrière moi et je l'entendais marcher de l'autre côté du lit. Elle n'avait qu'à ôter sa chemise, pensais-je, et je me rappelai que dans le passé j'avais contemplé ce simple geste avec des yeux charmés comme dans ce conte où le brigand, après avoir prononcé le mot magique, voit la porte de la caverne s'ouvrir lentement, révélant la splendeur de merveilleux trésors. Mais cette fois je ne voulus pas regarder, car je comprenais que c'eût été avec des yeux différents, non plus juvéniles et purs jusque dans leur passion, mais cruels et indignes d'elle à cause de son indifférence. Et je restai immobile, courbé, les mains sur les genoux, la tête basse. Au bout d'un moment, les ressorts du lit grincèrent faiblement. Emilia était montée sur le lit et s'allongeait sur la couverture. J'entendis encore des froissements de linge et puis sa voix, son horrible voix insolite : – Allons, viens !... qu'attends-tu ?

Je ne me retournai pas, ne bougeai pas ; et je ne cessais de m'interroger : tout se passait-il ainsi jadis ? Mais oui, me répondis-je aussitôt, tout était comme aujourd'hui, toujours elle se déshabillait et s'étendait sur notre lit ; comment eût-il pu en être autrement ? Mais en même temps, tout était différent. Jamais je n'avais connu cette docilité mécanique, froide, impersonnelle que décelaient le ton de sa voix et jusqu'aux grincements des ressorts du lit et au froissement des couvertures. Autrefois, tout se passait comme dans un nuage d'élan emporté, d'inconscience enivrée, de complicité ravie. Quand l'esprit est distrait par quelque profonde pensée, il vous arrive parfois de poser un objet quelconque, livre, brosse ou chaussure, n'importe où et puis, la distraction passée, de chercher vainement l'objet pendant des heures et de le trouver enfin dans l'endroit le plus singulier, presque inconcevable, tel qu'il fallait un véritable effort pour l'atteindre : en haut d'une armoire, dans un coin retiré, au fond d'un tiroir... C'est ce qui m'était arrivé avec l'amour. Tout s'accomplissait avec une inadvertance rapide, folle, enchantée, et je me retrouvais dans les bras d'Emilia sans presque me souvenir de ce qui s'était passé et de ce que nous avions fait, entre le moment où nous étions assis l'un en face de l'autre, tranquilles et sans désirs, et celui où nous nous étions enlacés dans l'étreinte suprême. Et maintenant, cette inadvertance était totalement absente de la conduite d'Emilia et par conséquent de la mienne. Pourrais-je, même sous l'empire de l'excitation des sens, observer ses gestes d'un regard froid comme elle, sans doute, pourrait à son tour regarder les miens ? Soudain la sensation qui se précisait de plus en plus dans mon âme exaspérée et désenchantée prit corps en une image précise : je ne me trouvais plus en face de la femme qui m'aimait et que j'aimais, mais en face d'une prostituée un peu inexpérimentée et impatiente qui s'apprêtait à se soumettre passivement à mon étreinte avec l'espoir qu'elle serait brève et peu fatigante. Cette image, je l'eus un instant devant mes yeux, telle une apparition, et puis ce fut comme si elle passait derrière moi pour s'identifier avec Emilia étendue, sur le lit. Je me levai brusquement sans me retourner : – Tant pis – dis-je – cela ne me dit plus rien... je vais aller dormir à côté... toi, reste ici – et, sur la pointe des pieds, je marchai vers la porte du salon.

Le divan était préparé, la couverture faite, la chemise d'Emilia étalée sur le lit, manches déployées. Je pris cette chemise, les pantoufles posées à terre, la robe de chambre disposée sur un fauteuil et, revenant dans la chambre, je mis le tout sur une chaise. Mais cette fois je ne pus m'empêcher de lever les yeux et de regarder Emilia. Elle était encore dans la pose qu'elle avait prise pour s'étendre et me dire : – Allons, viens ! – elle était nue, un bras replié sous la nuque, la tête tournée vers moi, les yeux ouverts, indifférents, presque sans regard, son autre bras allongé en travers de son corps et couvrant le pubis de sa main. Cette fois, pensais-je, ce n'est plus la prostituée, c'est une image vue dans un mirage, environnée d'une atmosphère irréelle et nostalgique, lointaine comme si elle n'était pas à quelques pas de moi, mais en quelque région perdue, hors de la réalité et hors de mes sentiments.

5

Ce soir-là j'eus certes le pressentiment qu'une ère pleine de difficultés commençait pour moi, mais – cela peut sembler curieux – je ne tirai pas de l'attitude d'Emilia les conséquences que l'on peut imaginer. Sans doute elle s'était montrée froide et indifférente puisque j'avais préféré renoncer à la posséder plutôt que de l'obtenir de cette manière. Mais je l'aimais et il y a dans l'amour une grande capacité non seulement d'illusion, mais encore d'oubli. Le jour suivant, je ne sais comment, l'incident de la veille qui par la suite devait m'apparaître plein de signification avait déjà perdu à mes yeux beaucoup de son importance, s'était allégé de son poids d'hostilité et se réduisait à une brouille passagère. En réalité on oublie aisément ce qu'on ne veut pas se rappeler ; de plus, je pense qu'Emilia contribua à cet oubli, car sans renoncer à dormir seule, elle ne se refusa pas à mon étreinte. Il est vrai que, cette fois encore, elle se comporta de la même manière froide et passive qui avait déjà suscité ma révolte ; mais comme cela arrive toujours, ce qui m'avait paru intolérable le premier soir, me paraissait quelques jours plus tard non pas même tolérable, mais séduisant. Sans me l'avouer, j'étais déjà sur le terrain glissant où la froideur de la veille devient le lendemain amour brûlant grâce aux sophismes et à la bonne volonté de l'âme avide d'illusions. Ce premier soir j'avais pensé qu'Emilia se conduisait comme une prostituée ; moins d'une semaine après j'acceptais de l'aimer et d'en être aimé ainsi ; et parce que dans le tréfonds de mon âme j'avais sans doute craint qu'elle refusât tout à fait d'être mienne, je lui sus gré de sa froide et impatiente passivité comme si c'eût été le climat normal de nos rapports amoureux.

Mais si je continuais à me bercer de l'illusion qu'Emilia m'aimait comme par le passé, ou plutôt si je préférais ne pas mettre notre amour en question, quelque chose par ailleurs révélait en mon cœur le changement survenu entre nous. Et cette chose était mon travail. Si j'avais provisoirement renoncé à mes ambitions théâtrales et m'étais consacré au cinéma, ce n'était que pour satisfaire le désir d'Emilia de posséder un intérieur à elle. Tant que j'avais été sûr de l'amour de ma femme, ma tâche de scénariste ne m'avait pas paru trop lourde ; mais après l'incident de ce fameux soir, il me sembla tout à coup être envahi d'une subtile impression de découragement, d'inquiétude et de répugnance. En réalité, j'avais accepté ce travail comme j'en aurais accepté un autre plus ingrat encore et de moins d'intérêt, uniquement pour l'amour d'Emilia. Maintenant que cet amour venait à me manquer, mon travail perdait son sens et sa justification et prenait à mes yeux le caractère absurde d'une simple servitude.

Il me faut dire quelques mots de ce métier de scénariste, ne serait-ce que pour faire mieux comprendre les sentiments que j'éprouvais à cette époque. Comme on le sait, le scénariste est celui qui écrit, le plus souvent avec un collaborateur et avec le metteur en scène, le scénario, c'est-à-dire le canevas dont le film sera tiré ensuite. Dans le scénario, suivant le développement de l'action, les gestes et les paroles des acteurs sont minutieusement indiqués un par un, ainsi que les divers mouvements de l'appareil de prise de vue. Le scénario englobe donc tout à la fois drame, mimique, technique cinématographique, mise en scène, etc. Or, bien que le rôle du scénariste dans un film soit de première importance et vienne en second plan après celui du metteur en scène, pour des raisons inhérentes au développement actuel du cinéma, ce rôle demeure presque toujours subordonné et obscur. Si l'on juge en effet les arts au point de vue de leur expression directe – et je ne vois pas comment on pourrait les juger autrement – le scénariste est un artiste qui, tout en donnant au film le meilleur de lui-même, n'a pas la consolation de savoir qu'il aura véritablement exprimé sa propre personnalité. Malgré le caractère créateur de son œuvre, il ne peut être qu'un fournisseur de trouvailles, d'inventions, d'ingéniosités techniques, psychologiques, littéraires; il appartiendra au metteur en scène d'employer ces matériaux selon son génie propre, en somme de s'exprimer. Le scénariste, lui, est l'homme qui reste toujours dans l'ombre, donnant le meilleur de son cerveau pour le succès des autres; et bien que la fortune du film dépende de lui pour les deux tiers, il ne voit pas son nom sur les affiches publicitaires qui portent par contre celui du metteur en scène, du producteur et des acteurs. Évidemment il peut – et cela arrive souvent – atteindre à la renommée et être fort bien rétribué; mais jamais il ne peut dire: « C'est moi qui ai fait ce film... dans ce film, je me suis exprimé... ce film est un peu moi-même. » Le metteur en scène pourra au contraire s'en glorifier et sera en effet le seul à signer le film. Pendant ce temps le scénariste devra se contenter de travailler pour les honoraires qui lui sont accordés, si bien que l'argent finit par devenir l'unique but de son travail. Il ne lui restera qu'à profiter de la vie, s'il en est capable, grâce à cet argent qui est le seul résultat de ses peines et il passera d'un scénario à l'autre, d'une comédie à un drame, d'un « western » à un film sentimental, sans interruption, sans pause, un peu comme ces gouvernantes qui passent d'une famille à l'autre ayant à peine le temps de s'attacher à un enfant que déjà elles doivent le quitter pour recommencer avec un autre, laissant finalement tout le fruit de leurs efforts aux mères qui, seules, ont le droit d'appeler ces petits leurs enfants.

Mais, outre ces inconvénients fondamentaux et inévitables, le métier de scénariste en connaît d'autres qui pour varier selon la qualité et le genre du film et le caractère des collaborateurs n'en sont pas moins fastidieux. Contrairement au metteur en scène qui vis-à-vis du producteur jouit d'une certaine autonomie et liberté, le scénariste ne peut qu'accepter ou refuser le scénario qui lui est proposé; une fois son acceptation donnée, il ne peut en aucune façon choisir ses collaborateurs: on le choisit, on ne lui donne pas le choix. Aussi arrive-t-il que suivant les sympathies, les convenances, la fantaisie du producteur, ou simplement le hasard, le scénariste se voie obligé de travailler avec des gens qu'il trouve antipathiques, inférieurs à lui par la culture ou le rang social, et qui l'irritent par des traits de caractère ou leurs manières. Or le travail en collaboration pour un scénario n'a rien du travail en équipe tel qu'il existe par exemple dans un bureau ou une usine où chacun a sa tâche à remplir indépendamment de son voisin et où les rapports peuvent se réduire à peu de chose et être même inexistants. Travailler en collaboration à un scénario signifie travailler en commun du matin au soir, partageant, fondant sa propre intelligence, sa propre sensibilité, sa propre âme avec celles des collaborateurs. Ce qui implique d'accepter, pendant les deux ou trois mois nécessaires à l'achèvement du scénario, une fictive et artificielle intimité ayant pour seul but la création du film et par conséquent, en dernière analyse, l'argent. Cette intimité est d'ailleurs de la pire espèce, la plus fatigante, énervante, agaçante que l'on puisse imaginer parce que au lieu de reposer sur un travail silencieux comme pourrait l'être celui de savants se consacrant ensemble à quelque expérience, elle est basée sur la parole. Généralement le metteur en scène réunit ses collaborateurs dès les premières heures de la matinée jusqu'à la nuit tombante, vu la brièveté du temps accordé à la composition du manuscrit ; et du matin au soir, les scénaristes ne font que parler, la plupart du temps en se tenant à leur travail, mais souvent par pure volubilité ou lassitude, divaguant ensemble sur les sujets les plus variés. L'un raconte des anecdotes grivoises, un second expose ses idées politiques, un autre fait de la psychologie à propos de telle ou telle personne connue des autres, certains parlent d'acteurs et de vedettes, il en est qui s'appesantissent sur leur cas personnel. Et pendant ce temps la pièce consacrée au travail s'emplit de la fumée des cigarettes, les tasses de café s'alignent sur les tables à côté des feuillets du manuscrit et les scénaristes, arrivés, le matin, frais, soignés, bien peignés, se retrouvent le soir en manches de chemise, les cheveux ébouriffés, en sueur et en désordre comme s'ils avaient forcé une femme frigide et récalcitrante. Et, en vérité, la méthode mécanique et routinière avec laquelle on compose un scénario ressemble fort à une sorte de débauche de l'esprit engendrée par la volonté et la nécessité plutôt que par une inspiration ou un penchant quelconque. Bien entendu, il peut se faire que le film soit de qualité supérieure, que metteur en scène et collaborateurs soient d'ores et déjà liés par une estime et une amitié réciproques et qu'enfin le travail se déroule dans ces conditions idéales susceptibles de se rencontrer dans certaines activités humaines, même ingrates ; mais de telles circonstances aussi favorables sont rares, comme sont rares les bons films.

Ce fut après avoir signé mon contrat pour un second scénario, non cette fois avec Battista mais avec un autre producteur, que brusquement le courage et la volonté m'abandonnèrent et que je commençai à ressentir avec une irritation et un dégoût croissants tous les inconvénients que je viens d'énumérer. La journée m'apparaissait dès mon lever tel un désert aride sans l'ombre agréable de la contemplation et du loisir, mais sous le soleil importun de l'inspiration forcée. J'étais à peine entré chez le metteur en scène qu'il m'accueillait dans son studio par une de ces phrases rituelles : – Alors, qu'ont donné tes réflexions de la nuit ?... Tu as trouvé une solution ? – Ensuite, au cours du travail, tout m'impatientait et me dégoûtait : les digressions de tout genre par lesquelles le metteur en scène et les scénaristes cherchaient à alléger les longues heures de discussion, l'incompréhension, le manque de subtilité ou même les simples divergences d'opinion de mes collaborateurs à mesure que s'écrivait le manuscrit... jusqu'aux louanges du metteur en scène pour chacune de mes trouvailles ou de mes idées, louanges qui avaient pour moi un arrière-goût amer parce que ainsi que je l'ai dit il me semblait donner le meilleur de moi-même pour une chose qui au fond ne me regardait pas et à laquelle je participais contre mon gré. C'est même ce dernier inconvénient qui, à ce moment, me parut le plus insupportable. Et chaque fois que le metteur en scène, dans son langage populaire et familier propre à beaucoup d'entre eux, sautait sur sa chaise en s'exclamant : – Bravo ! tu es un chef ! – je ne pouvais m'empêcher de penser : « Dire que j'aurais pu m'en servir pour un drame, une comédie à moi ! » Pourtant, par une singulière et amère contradiction, malgré mes répugnances je ne parvenais pas à me soustraire à ma tâche de scénariste. La mise sur pied de ces scénarios ressemblait un peu à ces vieux attelages à quatre où certains des chevaux, plus forts et plus courageux, tiraient et où les autres faisaient semblant de tirer mais en réalité se laissaient traîner par leurs compagnons. Eh bien ! malgré mon impatience et mon aversion, je m'aperçus très vite que j'étais toujours le cheval qui tirait ; les deux autres, le metteur en scène et mon collègue, attendaient toujours en face des difficultés que j'arrive avec ma solution. Et moi, tout en maudissant intérieurement mes scrupules et ma verve, j'apportais sans me faire prier et par une subite inspiration le dénouement cherché. Je n'y étais pas poussé par l'esprit d'émulation, mais par un mouvement d'honnêteté plus fort que toute volonté contraire : puisque j'étais payé, je devais travailler. Mais chaque fois j'avais honte de moi-même et j'éprouvais un sentiment d'âpreté et de regret comme si j'avais gaspillé une chose sans prix dont j'aurais pu faire un usage infiniment meilleur.

Tous ces désavantages ne m'apparurent pleinement que deux mois après avoir signé mon premier contrat avec Battista. Et je ne compris pas tout d'abord comment je ne les avais pas vus plus tôt et comment j'avais mis tant de temps pour m'en rendre compte. Mais devant la persistance de cette impression d'aversion et d'indignité qu'éveillait en moi un travail d'abord désiré, je ne pus m'empêcher à la longue de la relier logiquement à mes soucis conjugaux. Je compris enfin que si mon travail me rebutait, c'est que ma femme ne m'aimait plus ou tout au moins faisait montre de ne plus m'aimer ; je l'avais affronté avec courage et confiance tant que j'avais été sûr de l'amour d'Emilia. Dès lors que cet amour me manquait, le courage et la confiance m'abandonnaient aussi et le travail ne me semblait plus qu'esclavage, profanation de l'esprit, perte de temps.

6

Je me mis donc à vivre comme un homme qui porte en soi le malaise d'une maladie en incubation, mais ne peut se décider à aller voir le médecin ; je veux dire que j'évitais de trop m'appesantir sur l'attitude d'Emilia envers moi et sur mon travail. Je savais qu'un jour il me faudrait affronter cette méditation, mais précisément parce que je la sentais inévitable, je m'efforçais de la retarder le plus possible ; le peu que j'avais déjà soupçonné me faisait écarter ces pensées, tant je les craignais inconsciemment. Je continuais donc à avoir avec Emilia ces rapports qui tout d'abord m'avaient semblé intolérables et que, maintenant où je craignais le pire, je m'efforçais sans y réussir entièrement de considérer comme normaux : pendant la journée, propos indifférents, banals, évasifs ; la nuit, de temps à autre l'amour, avec beaucoup d'embarras et non sans cruauté de ma part mais sans aucune véritable participation de la sienne. Et en même temps je continuais à travailler avec diligence, avec acharnement même, bien que de moins en moins volontiers et avec un écœurement de jour en jour plus marqué. Si j'avais eu alors le courage de me définir à moi-même la situation dans laquelle je me trouvais, j'aurais certainement renoncé au travail et à l'amour, convaincu, comme je le fus plus tard, que toute vie s'était retirée d'eux. Mais ce courage me manquait ; et peut-être espérais-je que le temps se chargerait de résoudre mes problèmes, sans aucun effort de ma part. Le temps en effet les résolut, mais non pas dans le sens que j'aurais désiré ! Ainsi, entre Emilia qui se refusait à moi et le travail auquel je me refusais, les jours s'écoulaient dans une atmosphère d'attente sourde et sombre.

Cependant le scénario que je faisais pour Battista tirait à sa fin et au même moment Battista me fit allusion à un nouveau travail, plus important que le premier, auquel il désirait me voir participer. Comme tous les producteurs, Battista était un homme toujours pressé et évasif et ses allusions rapides n'allaient jamais au-delà de phrases comme celles-ci : – Molteni, dès que vous aurez fini ce scénario, nous en faisons tout de suite un autre... et d'importance... – ou bien : – Tenez-vous prêt un de ces jours, Molteni, j'aurais à vous faire une proposition... – et encore, de façon plus explicite : – Ne signez pas de contrats, Molteni ; d'ici à une quinzaine de jours, vous en signerez un avec moi. – Je confesse que, malgré ma croissante aversion pour ce genre de travail, les premières choses auxquelles je pensai d'instinct furent l'appartement et les sommes que je devais encore et je fus heureux de la proposition de Battista. D'ailleurs dans ce métier de scénariste, il en va toujours ainsi : même quand on ne l'aime pas – comme c'était mon cas – toute nouvelle offre est accueillie favorablement et si l'on ne vous propose rien, on s'inquiète et craint d'être mis à l'écart.

Mais je ne soufflai mot à Emilia de cette nouvelle proposition de Battista, ceci pour deux raisons : d'abord parce que je n'étais pas encore décidé à l'accepter ; puis, parce que j'avais désormais compris que mon travail ne l'intéressait pas et je préférais ne pas lui en parler de peur de provoquer une nouvelle confirmation d'une froideur et d'une indifférence auxquelles je m'obstinais à ne pas attacher d'importance. Les deux choses étaient d'ailleurs unies par un lien que je pressentais obscurément : je n'étais pas certain d'accepter ce travail parce que je sentais qu'Emilia ne m'aimait plus. Si elle m'avait aimé, je l'aurais tenue au courant de cette offre et lui en parler signifiait au fond l'accepter.

Un matin, je sortis pour aller chez le metteur en scène avec lequel je travaillais au scénario numéro un, celui de Battista. Je savais que c'était la dernière fois que je m'y rendais car il manquait à peine quelques pages pour terminer le manuscrit et cette pensée me réconfortait. Cette corvée allait donc prendre fin et je serais de nouveau libre de moi-même au moins pendant la demi-journée. En outre, deux mois de travail avaient suffi pour que je prenne en grippe les personnages et le sujet du film. Je savais que bientôt je me retrouverais aux prises avec d'autres personnages et un sujet destinés à devenir à leur tour non moins insupportables ; mais en ce moment, je me libérais des premiers et cette perspective suffisait à m'inspirer un notable soulagement.

Grâce à cet espoir d'une liberté toute proche, je travaillai ce jour-là avec une facilité insolite. Pour que le scénario fût terminé, il ne manquait que deux ou trois retouches de peu d'importance mais sur lesquelles depuis quelques jours nous piétinions sans résultat. Emporté par ma verve je pus dès le début trouver les arguments justes et résoudre l'une après l'autre les dernières difficultés, si bien qu'au bout de deux heures à peine nous nous rendions compte que le scénario était terminé et cette fois pour de bon. Comme il arrive au cours de certaines interminables et épuisantes courses en montagne, lorsque le but que l'on désespérait d'atteindre apparaît soudain à un tournant, j'écrivais une phrase du dialogue quand je m'écriai avec surprise : – Mais pourquoi ne finirait-on pas sur ces mots ? – Le metteur en scène qui, tandis que j'écrivais, marchait de long en large dans la pièce, regarda la page par-dessus mon épaule et dit à son tour d'un ton étonné et presque incrédule : – Tu as raison, cela peut finir ici ! – Je traçai alors le mot « Fin » en bas de la page, fermai le dossier et me levai.

Un moment, nous restâmes silencieux, regardant tous deux le bureau sur lequel reposait le manuscrit enfin terminé, un peu comme deux alpinistes à bout de forces contemplent le petit lac ou le rocher qu'ils ont atteint au prix de tant de fatigue. Puis le metteur en scène soupira : – Ouf ! c'est fait.

– Oui – dis-je – c'est fait !

Ce metteur en scène s'appelait Pasetti ; c'était un jeune homme blond anguleux, sec, précis et soigné, ayant plutôt l'aspect d'un géomètre ou d'un comptable méticuleux que d'un artiste. Il avait à peu près mon âge, mais, ainsi que cela se passe généralement dans notre métier, entre lui et moi les rapports étaient ceux de supérieur à inférieur, car le metteur en scène a toujours le pas sur ses collaborateurs. Il reprit au bout d'un instant avec son affabilité froide et gauche : – Il faut dire, Riccardo, que tu es comme un cheval qui sent l'écurie... J'aurais parié que nous en avions au moins pour quatre jours de travail et nous voilà débarrassés en deux heures... eh ! eh ! la perspective de passer à la caisse t'a donné de l'inspiration !

Pasetti ne m'était pas antipathique malgré sa médiocrité et son incompréhension psychologique ; entre nous s'étaient installées des relations de compensation, peut-on dire : lui, homme sans imagination et sans nerfs, mais conscient de ses limites et modeste au fond : moi, toute nervosité et imagination, émotif et complexe. Je lui répondis du même ton de plaisanterie en me prêtant à son jeu : – Oui, tu l'as dit, la perspective de passer à la caisse...

Il continua en allumant une cigarette : – Mais ne crois pas que la partie soit finie... nous n'avons fait que le plus gros du travail... il va falloir revoir tous les dialogues... ne t'endors pas sur tes lauriers !

Une fois de plus je notai sa manière de s'exprimer par lieux communs et phrases toutes faites et discrètement je jetai un coup d'œil à ma montre : il était presque une heure. – Sois tranquille – dis-je – je reste à ta disposition pour toute correction à apporter...

Il hocha la tête : – Je vous connais tous tant que vous êtes... pour que tu ne t'endormes pas, je vais dire à Battista qu'il garde en suspens ce qui te reste dû...

Il avait une façon de plaisanter d'un ton un peu protecteur, surprenante chez un homme aussi jeune, de stimuler ses collaborateurs en faisant alterner le blâme et la louange, les réserves et les encouragements, la prière et les ordres ; et en ce sens on pouvait le considérer comme un bon directeur, puisque diriger consiste en grande partie à savoir se servir astucieusement des autres.

Je répliquai en abondant dans son sens comme d'habitude : – Non, tu me feras payer tout mon dû, et je te promets d'être à ta disposition...

– Mais à quoi tout cet argent peut-il te servir ? – fit-il en insistant lourdement – tu n'en as jamais assez… pourtant, tu n'as pas de maîtresses, tu ne joues pas, tu n'as pas d'enfants !…

– J'ai mon appartement à payer – répondis-je sérieusement en baissant les yeux, un peu gêné de son indiscrétion.

– Tu as encore beaucoup à verser ?

– La totalité, ou peu s'en faut…

– Je suppose que c'est ta femme qui te tourmente pour que tu te fasses payer… il me semble l'entendre : Riccardo n'oublie pas de te faire régler le reste de tes honoraires !

– Bien sûr, c'est ma femme – assurai-je – mais tu sais comment sont les femmes et l'importance qu'elles attachent à leur maison…

– À qui le dis-tu ? – Et il se mit à me parler de sa femme qui lui ressemblait beaucoup mais qu'il considérait, me sembla-t-il, comme une créature bizarre, pleine de caprices et d'imprévu, une femme en somme. Je faisais semblant d'écouter attentivement mais mon esprit était ailleurs. Il conclut inopinément : – Tout cela est très bien, mais je vous connais vous autres scénaristes, vous êtes tous de la même race… quand vous avez touché, on ne vous revoit plus… non, non, je dirai à Battista qu'il attende pour te régler…

– Allons, Pasetti, sois gentil…

– Bon, je verrai… mais n'y compte pas trop…

À la dérobée je regardai de nouveau ma montre. J'avais donné au metteur en scène l'occasion de montrer son autorité, il l'avait manifestée, je pouvais donc m'en aller : – Eh bien ! je suis content d'avoir fini ce travail ou, comme tu dis, le plus gros du travail… mais je crois qu'il est l'heure de m'en aller.

Il s'écria avec vivacité : – Pas du tout… il faut boire au succès du film, que diable !… tu ne t'en iras pas ainsi…

Je dis, résigné : – S'il s'agit de boire, je reste…

– Alors, passons à côté… je pense que ma femme sera contente de boire avec nous.

Je le suivis hors du studio par un corridor étroit, nu et blanc, qui sentait la cuisine et les langes d'enfant. Il me précéda au salon et appela : – Louise, Molteni et moi venons de finir notre scénario ; maintenant nous allons boire au succès du film.

Mme Pasetti quitta son fauteuil pour venir à notre rencontre. C'était une petite femme avec une grosse tête, un visage allongé, très blanc, encadré de bandeaux lisses et noirs. Elle avait de grands yeux pâles et inexpressifs qui ne s'animaient qu'en présence de son mari mais qui alors ne se détachaient pas du visage de celui-ci, comme certains chiens affectueux regardent fixement leur maître. Mais en l'absence de son mari, elle les tenait baissés, avec un air de modestie. Fragile et menue, elle avait mis au monde quatre enfants en quatre ans. – Allons – dit Pasetti avec sa gaieté un peu encombrante – je vais préparer un cocktail.

– Pas pour moi, Gino – intervint Mme Pasetti – tu sais que je n'en prends pas !

– Mais, nous, nous boirons.

Je m'assis sur un fauteuil recouvert d'un tissu à fleurs, devant une cheminée de briques et Mme Pasetti s'assit en face de moi sur un fauteuil identique. Je regardai autour de moi : le salon était fait à l'image de son propriétaire, c'était un salon en série, de style similirustique, soigné, astiqué, parfaitement en ordre, mais en même temps un peu misérable, comme un intérieur d'employé ou de comptable. Je continuais à examiner la pièce car Mme Pasetti ne paraissait pas éprouver le besoin de tenir une conversation. Elle restait assise en face de moi, les yeux baissés, les mains sur ses genoux, complètement immobile. Pendant ce temps, Pasetti était allé à l'autre bout du salon, vers un affreux meuble composite, à la fois bar et poste de radio ; je le vis se plier en deux sur ses maigres jambes et, avec des gestes précis et anguleux, en tirer deux bouteilles, une de vermouth et une de gin, trois verres et le shaker. Il disposa le tout sur un plateau qu'il apporta sur une table devant la cheminée. Je remarquai que les deux bouteilles étaient intactes et bouchées. Pasetti ne devait pas souvent se permettre de boire ; même le shaker étincelant paraissait neuf. Il nous dit qu'il allait chercher de la glace et sortit.

Nous restâmes longtemps dans un silence que j'éprouvai le besoin de rompre : – Enfin, nous avons terminé notre scénario !

– Oui – répondit Mme Pasetti – Gino me l'a dit.

– Je suis sûr que le film sera bon !

– J'en suis sûre aussi, d'ailleurs dans le cas contraire Gino ne l'aurait pas fait.

– Vous connaissez le sujet ?

– Oui, Gino me l'a raconté.

– Vous plaît-il ?

– Il plaît à Gino, donc à moi aussi.

– Vous êtes toujours d'accord tous les deux ?

– Gino et moi ? Toujours…

– Qui commande de vous deux ?

– Gino bien sûr !

Je remarquai qu'elle s'était ingéniée à répéter le nom de son mari chaque fois qu'elle avait ouvert la bouche. J'avais parlé légèrement sur un ton désinvolte, elle m'avait toujours répondu avec le plus grand sérieux. Pasetti rentra avec le seau à glace et m'interpella : – Ta femme au téléphone, Riccardo.

Je ne sais pourquoi le sang se porta violemment à mon cœur comme par un retour soudain de l'angoisse bien connue. Machinalement je me levai et me dirigeai vers la porte. – Le téléphone est à la cuisine – ajouta Pasetti – mais si tu veux, tu peux répondre d'ici, j'ai branché la communication.

Un appareil téléphonique était en effet sur un coffre à côté de la cheminée. Je pris le récepteur et entendis la voix d'Emilia :
– Excuse-moi, Riccardo, il faut que tu t'arranges aujourd'hui pour déjeuner en dehors de la maison… je déjeune avec maman…
– Mais, pourquoi ne me l'as-tu pas dit plus tôt ?
– Je ne voulais pas te déranger dans ton travail.
– C'est bon – dis-je – j'irai manger au restaurant.
– À tantôt… au revoir…

Elle coupa la communication et je me retournai vers Pasetti :
– Tu ne manges pas chez toi, Riccardo ? – me demanda-t-il.
– Non, je vais aller au restaurant.
– Eh bien ! reste à déjeuner avec nous… à la bonne franquette, tu sais… mais tu nous feras plaisir…

Une sensation de découragement m'avait envahi inexplicablement à la pensée de manger seul au restaurant ; sans doute parce que j'avais goûté par avance la joie d'annoncer à Emilia la fin du scénario. Peut-être m'en serais-je abstenu, sachant que désormais mes actes ne l'intéressaient plus ; mais sur le moment j'avais obéi à la vieille habitude de notre passé. L'invitation de Pasetti me fit plaisir et je l'acceptai avec une gratitude excessive. Pendant ce temps, il avait débouché les deux bouteilles et, avec des gestes de pharmacien qui règle le dosage d'une potion, il versait dans une petite mesure le gin et le vermouth et les vidait dans le shaker. Mme Pasetti continuait à dévorer son mari des yeux. Celui-ci, après avoir vigoureusement secoué le shaker, s'apprêtait à remplir les verres.
– Rien qu'un doigt pour moi, je t'en prie – lui recommanda sa femme – et toi aussi, Gino, prends-en très peu, cela pourrait te faire mal !
– Ce n'est pas tous les jours qu'on finit un scénario !

Il remplit nos deux verres, et versa à peine un peu de cocktail dans le troisième. Tous trois nous levâmes nos verres : – À une centaine de scénarios comme celui-ci ! – dit Pasetti mouillant à peine ses lèvres et reposant son verre sur la table. Je vidai le mien d'un trait. Mme Pasetti but à petites gorgées puis se leva en disant : – Je vais aller jeter un coup d'œil à la cuisine, vous permettez… ?

Elle sortit, Pasetti prit sa place sur le fauteuil à fleurs et nous nous mîmes à bavarder. Ou plutôt il se mit à monologuer, à propos du scénario surtout, et je l'écoutais en approuvant par des grognements ou des hochements de tête tout en continuant à boire. Le verre de Pasetti en était toujours au même point, à demi plein, et déjà j'avais vidé le mien trois fois. Je ne sais pourquoi une impression intense de détresse s'insinuait en moi et je buvais dans l'espoir que l'ivresse la ferait passer. Mais je résiste bien à l'alcool et le cocktail de Pasetti était léger et fort baptisé. Aussi trois ou quatre petits verres ne servirent qu'à augmenter mon vague désarroi. « Comme je me sens malheureux et pourquoi ? » me demandai-je soudain et je me rappelai alors que le premier coup de stylet de la douleur, je l'avais ressenti en entendant au téléphone la voix d'Emilia si froide, si impersonnelle, si mesurée et surtout si différente de celle de Mme Pasetti lorsqu'elle prononçait le nom magique de Gino. Mais il ne me fut pas possible d'approfondir ces réflexions car Mme Pasetti parut de nouveau et nous annonça que nous pouvions passer à table.

La salle à manger des Pasetti était du même genre que le studio et le salon : meubles reluisants, coquets et bon marché en bois cérusé, assiettes en faïence de couleur, verrerie rustique verte, nappe et serviettes de chanvre écru. La pièce était petite et la table l'emplissait presque entièrement de telle sorte que la bonne, en tournant autour pour passer le plat, devait chaque fois faire déplacer l'un des convives ; nous nous mîmes à manger en silence, avec componction. Puis, la domestique changea les assiettes et j'en profitai pour demander à Pasetti quels étaient ses projets pour l'avenir. Il me répondit de sa voix froide, précise, grêle, à laquelle la modestie et le manque d'imagination paraissaient inspirer à la fois le choix des mots et les intonations les plus légères. Je me taisais ne trouvant rien à dire, car les projets de Pasetti ne m'intéressaient nullement et m'eussent-ils intéressé que cette voix blanche et monocorde les aurait rendus ennuyeux. Et comme mon regard inattentif errait vaguement d'un objet à l'autre, sans rien trouver qui pût l'attirer, il s'arrêta sur le visage de Mme Pasetti, écoutant elle aussi, le menton appuyé sur la main, les yeux fixés comme d'ordinaire sur son mari. Alors devant ce visage, je fus frappé par l'expression des yeux : une expression tendre, brûlante, mêlée d'humble admiration, d'envoûtement physique et d'une timidité presque mélancolique. J'en fus d'autant plus frappé que le sentiment qui s'y reflétait me semblait vraiment incompréhensible. Ce Pasetti si incolore, si malingre, si médiocre, si visiblement privé de toutes les qualités qui peuvent séduire une femme, me semblait un objet incroyable pour une pareille attention. Puis je me dis que tout homme finit toujours par trouver la femme qui l'apprécie et qui l'aime, que juger les sentiments d'autrui d'après les siens propres était une erreur et je sentis s'éveiller en moi de la sympathie pour cette femme si dévouée à son compagnon et de l'estime pour lui qui, avec toute sa médiocrité, m'inspirait jusqu'ici une amitié ironique. Mais, pendant que déjà distraits mes regards se portaient ailleurs, voici qu'une pensée ou plutôt une intuition subite traversa mon esprit : « Dans ces yeux-là il y a tout l'amour de cette femme pour son mari et c'est parce qu'elle l'aime qu'il est satisfait de lui-même et de ce qu'il fait, mais les yeux d'Emilia ne reflètent plus depuis longtemps un tel sentiment... Emilia ne m'aime plus, ne m'aimera jamais plus... »

Cette pensée réveillant en moi une douleur profonde me causa comme un choc physique ; à tel point que je fis une grimace et que Mme Pasetti, pleine de sollicitude, me demanda si la viande que j'étais en train de manger était dure. Je la rassurai : la viande était tendre. Cependant, tout en faisant mine d'écouter Pasetti qui continuait à énumérer ses projets, je m'appliquais à approfondir cette première sensation de douleur, si aiguë et en même temps si obscure. Je compris alors que depuis un mois j'avais essayé de m'habituer à une situation intolérable, sans y parvenir ; en réalité je ne pouvais plus supporter de vivre ainsi entre Emilia qui ne m'aimait plus et un travail que, par la faute d'Emilia, je n'aimais pas. « Je ne peux plus continuer sur cette voie, me dis-je, il faut une fois pour toutes que je m'explique avec ma femme... et s'il le faut je me séparerai d'elle et abandonnerai mon travail... »

Pourtant, malgré cette résolution désespérée, je m'aperçus que je n'arrivais pas à y croire entièrement : à dire vrai, je n'étais pas encore tout à fait convaincu qu'Emilia s'était définitivement éloignée de moi, ni que je trouverais la force de me séparer d'elle, de lâcher mon travail de scénariste et de vivre seul. En d'autres termes, j'éprouvais une sensation d'incrédulité d'une espèce douloureuse et nouvelle pour moi, en face d'un fait que mon esprit considérait déjà comme indubitable. Puisque Emilia avait cessé de m'aimer, comment en était-elle arrivée à cette indifférence ? Le cœur serré par l'angoisse, je pressentais que cette première affirmation d'ordre général, déjà si douloureuse, exigeait pour me convaincre entièrement mille autres démonstrations plus particulières et par conséquent plus concrètes et plus douloureuses encore. Je savais qu'Emilia ne m'aimait plus, mais j'ignorais la cause et les phases d'un tel changement et, pour en être absolument persuadé, il fallait m'expliquer avec elle, rechercher, analyser, enfoncer le fer subtil et impitoyable de l'enquête dans une blessure que jusqu'ici je m'étais efforcé d'oublier. Cette pensée m'épouvantait ; pourtant, je le comprenais, ce ne serait qu'après avoir mené mon enquête jusqu'au bout que je trouverais le courage de me séparer d'Emilia, ainsi que me l'avait spontanément suggéré une impulsion désespérée de mon âme.

Cependant je continuais à manger, à boire, à écouter Pasetti sans presque me rendre compte de ce que je faisais. Finalement, grâce à Dieu, le repas se termina. Nous passâmes de nouveau au salon où il fallut remplir les formalités diverses des réceptions bourgeoises : le café – un ou deux morceaux de sucre ? – l'offre des liqueurs – douce ou forte ? – accueillie par le refus habituel, les propos oiseux qui font passer le temps… Lorsque je crus pouvoir prendre congé sans donner une impression de hâte, je me levai. Mais, à ce moment, l'aînée des enfants de Pasetti fut introduite au salon par sa bonne qui voulait l'amener aux parents avant la promenade quotidienne. C'était une enfant brune et pâle avec de très grands yeux, mais assez commune dans l'ensemble et insignifiante comme ses parents. Tandis que je la regardais qui se laissait embrasser et cajoler par sa mère, une pensée me traversa l'esprit : jamais, je ne serai heureux comme ces gens-là… Emilia et moi, nous n'aurons jamais d'enfant… Et, aussitôt après, une seconde pensée plus amère encore : comme j'épouse bien l'attitude de tous les maris déçus par leur femme ! Me voilà en train d'envier un couple quelconque qui mange de baisers sa progéniture… exactement comme n'importe quel mari se trouvant dans ma situation… Cette pensée me mortifia et me rendit insupportable la scène familiale à laquelle j'assistais. Brusquement je déclarai qu'il me fallait prendre congé. Pasetti, la pipe à la bouche, m'accompagna jusqu'à la porte. J'eus l'impression que mon départ précipité avait étonné et offusqué sa femme qui s'attendait sans doute à me voir m'attendrir devant le spectacle édifiant de son amour maternel.

7

Mon second scénario devait m'occuper à partir de quatre heures ; j'avais encore une heure et demie devant moi ; quand je fus dans la rue, je me dirigeai instinctivement vers ma maison. Je savais qu'Emilia était absente puisqu'elle avait déjeuné chez sa mère ; mais désemparé, plein d'angoisse, j'espérais me tromper et la trouver chez elle. Dans ce cas, me disais-je, j'aurais le courage de lui parler franchement, de provoquer une explication définitive. De cette explication, je le sentais, dépendraient mes rapports avec Emilia et d'autre part aussi mon travail. Après tant de tergiversations et d'hypocrisies, je croyais préférer n'importe quel désastre au prolongement d'une situation malheureusement de plus en plus claire et de moins en moins supportable. Peut-être devrais-je me séparer de ma femme, refuser le second scénario de Battista… ce ne serait que mieux. La vérité, quelle qu'elle fût, me semblait désormais infiniment plus acceptable que cette situation vile et trouble, entre le mensonge et la compassion que j'avais de moi-même.

Mais en arrivant dans ma rue, je fus repris par ma perplexité : Emilia ne pouvait être à la maison et dans cet appartement neuf qui m'était maintenant plus hostile encore qu'étranger, j'allais me sentir plus désemparé et tourmenté que dans un endroit public. Un moment j'eus la tentation de m'éloigner et d'aller passer cette heure et demie d'attente au café. Puis, dans un subit et providentiel éclair de ma mémoire, je me souvins que la veille j'avais promis à Battista de me trouver chez moi à cette heure de la journée, pour prendre rendez-vous avec lui par téléphone. Il s'agissait d'un rendez-vous important puisque Battista devait me parler définitivement de son nouveau scénario, me faire des propositions concrètes et me présenter au metteur en scène et je lui avais assuré que je serais chez moi à l'heure dite, comme chaque jour d'habitude. Je pouvais évidemment téléphoner à Battista du café ; mais je n'étais pas sûr de le trouver chez lui car il déjeunait souvent au restaurant ; d'autre part, dans mon angoisse extrême, j'avais besoin d'un prétexte pour rentrer chez moi ; l'appel téléphonique de Battista me fournissait justement ce prétexte.

Je rentrai donc, allai vers l'ascenseur, en fermai les portes et pressai le bouton du dernier étage où j'habitais. Et pendant que je montais, je me dis qu'au fond je n'avais pas le droit de fixer un rendez-vous à Battista, n'étant pas du tout certain d'accepter sa nouvelle proposition. Tout allait dépendre de mon explication avec Emilia ; je savais que si elle me déclarait explicitement qu'elle ne m'aimait plus, non seulement je ne ferais pas ce scénario, mais je n'en ferais aucun autre de ma vie. Or, Emilia n'étant pas à la maison lorsque Battista téléphonerait, je ne serais pas honnêtement en mesure d'accepter, de refuser, ni d'aller discuter son offre. Et traiter une affaire pour se retirer ensuite me paraissait parmi toutes les absurdités de ma vie la plus absurde. À cette pensée je fus saisi d'écœurement et d'une rage forcenée, j'arrêtai brusquement l'ascenseur et pressai le bouton de descente. Il valait mieux, beaucoup mieux, me dis-je, que Battista ne me trouve pas au bout du fil quand il téléphonerait. Plus tard, le soir même, je m'expliquerais avec Emilia et, dès le lendemain, je donnerais au producteur une réponse en conformité avec l'explication que j'aurais reçue. Pendant ce temps, l'ascenseur descendait et je voyais à travers les vitres dépolies défiler les étages avec les yeux désespérés d'un poisson qui voit s'abaisser rapidement le niveau de l'eau dans la vasque qu'il habite. Finalement, l'ascenseur s'arrêta et je mis la main sur le bouton de la porte. Mais une subite réflexion arrêta mon geste : oui, c'était vrai, de ma discussion avec Emilia dépendait mon acceptation de ce nouveau travail, mais si, dans la soirée, Emilia m'assurait de la constance de son amour, ne risquais-je pas, en ne me trouvant pas chez moi, de mécontenter Battista et de perdre le scénario ? Les producteurs, je le savais par expérience, ont les caprices des petits tyrans ; ce genre de contretemps pouvait suffire à faire changer Battista d'avis et l'inciter à choisir un autre scénariste. Ces réflexions se bousculaient dans ma tête dolente, en me laissant une profonde impression de détresse aiguë : quel pauvre homme je fais, pensais-je, déchiré entre mes intérêts et mes sentiments, incapable d'opter et de décider. Dieu sait combien de temps je serais resté encore dans l'ascenseur, hésitant et éperdu, si une jeune femme, les bras chargés de paquets, n'avait soudainement ouvert les portes. Elle étouffa un cri de frayeur en me découvrant, cloué sur place, devant elle ; puis se reprenant, elle entra à son tour et me demanda à quel étage je voulais monter. – Au dernier – dis-je. – Moi, au second – répliqua-t-elle en pressant sur le bouton ; et l'ascenseur monta.

Je pris pied sur le palier avec une sensation de profond soulagement et je ne pus m'empêcher de me raisonner : « Vraiment, dans quel état suis-je pour me comporter de la sorte ? Comment en suis-je arrivé là ? » Réfléchissant ainsi, j'entrai chez moi et poussai la porte de la salle de séjour. Et alors, je vis, étendue sur le divan, en robe de chambre, un livre à la main, Emilia. À côté du divan une petite table portait des assiettes et les restes d'un repas. Emilia n'était pas sortie, elle n'avait pas déjeuné chez sa mère, elle m'avait menti…

Je devais faire une étrange figure car, après un coup d'œil jeté sur moi, elle me demanda : – Qu'as-tu ? Que t'est-il arrivé ?

– Ne devais-tu pas déjeuner chez ta mère ? – dis-je d'une voix étranglée. – Comment se fait-il que tu sois ici ? Tu m'avais dit que tu déjeunais dehors…

– Maman m'a téléphoné qu'elle était empêchée – répondit-elle calmement.

– Et pourquoi ne m'as-tu pas averti ?

– Parce que maman m'a téléphoné au dernier moment… j'ai pensé que tu n'étais plus chez Pasetti.

J'étais sûr qu'elle mentait et je ne savais sur quoi se basait cette certitude. Mais incapable de lui fournir une preuve comme de me la fournir à moi-même, je me tus et m'assis à mon tour sur le divan. Au bout d'un instant, elle me demanda, tout en feuilletant sa revue et sans lever les yeux sur moi : – Et toi, qu'as-tu fait ?

– Les Pasetti m'ont invité.

À ce moment le téléphone sonna dans la pièce voisine. Je pensai : « C'est Battista, je vais lui dire que j'ai décidé de ne plus faire de scénario… au diable le tout !… il est si visible que cette femme n'a pas un brin d'affection pour moi… »

Mais Emilia, avec son indolence habituelle, me pressa : – Va voir qui appelle, c'est certainement pour toi ; – je me levai et sortis. Le téléphone était dans la chambre à côté sur la table de chevet. Avant de prendre la communication, je jetai un regard sur le lit avec son oreiller solitaire et je sentis ma résolution s'affirmer : c'était fini, j'allais refuser le scénario, puis je quitterais Emilia. Je portai l'écouteur à l'oreille, mais au lieu de la voix de Battista, ce fut ma belle-mère que j'entendis : – Riccardo, Emilia est-elle ici ?

Avant même de réfléchir je répondis : – Non, elle n'y est pas... Elle m'a dit qu'elle déjeunait chez vous... elle est sortie... je vous croyais ensemble...

– Mais voyons, je lui ai téléphoné que ce n'était pas possible parce que c'est le jour de congé de ma domestique – fit la voix étonnée. À ce moment, je levai les yeux et à travers la porte demeurée ouverte je vis sur le divan Emilia étendue qui me regardait ; et je remarquai que ses yeux fixés sur moi étaient chargés d'aversion réfléchie et de froid mépris plutôt que de surprise. Je compris que, de nous deux, c'était moi qui avais menti et qu'elle savait la raison de mon mensonge. Je bredouillai alors quelques mots d'adieu et puis tout à coup, comme si je me ravisais, je criai dans l'appareil : – Non... attendez... Emilia arrive juste en ce moment... je vais vous la passer. – En même temps, je faisais signe à Emilia de venir au téléphone. Elle se leva du divan, traversa la pièce la tête basse et prit l'écouteur de ma main sans me regarder ni me remercier. Je me dirigeai vers le salon et elle fit un geste d'impatience comme pour m'intimer l'ordre de fermer la porte. J'obéis et plein de trouble je m'assis sur le divan et attendis.

Emilia téléphona longtemps et dans mon impatience douloureuse et inquiète il me sembla qu'elle le faisait avec intention. Mais en réalité ses conversations téléphoniques avec sa mère étaient toujours très longues. Elle était très attachée à sa mère, restée veuve et qui n'avait plus qu'elle, et elle paraissait en avoir fait sa confidente. Enfin la porte s'ouvrit et Emilia réapparut. Je restai muet et immobile, comprenant à son expression d'une dureté insolite qu'elle était en colère contre moi. Elle attaqua aussitôt en rangeant la vaisselle restée sur la petite table : – Es-tu devenu fou ? Pourquoi as-tu dit à maman que j'étais sortie ?

Je restai bouche close, froissé par le ton qu'elle employait. – C'était pour voir si j'avais dit la vérité ? – poursuivit-elle – pour vérifier s'il était exact que maman m'avait avertie qu'elle ne pouvait déjeuner avec moi ?

Je répondis avec effort : – Peut-être pour cette raison, en effet...

– Eh bien ! je te prie de ne plus recommencer... je dis la vérité et je n'ai rien à cacher... je ne puis souffrir cette manière d'agir...

Elle prononça ces mots sur un ton définitif et sortit de la pièce. Resté seul, je goûtai un instant l'amère sensation de la victoire. C'était donc vrai : Emilia ne m'aimait plus ; jamais autrefois elle ne m'aurait parlé ainsi. Elle m'aurait dit avec une douceur mêlée de surprise amusée : – Mais tu croyais donc vraiment que je t'avais menti ? – et elle aurait ri, comme d'un enfantillage excusable, puis peut-être se serait-elle enfin montrée cajoleuse : – Serais-tu jaloux ? Ne sais-tu pas que tu es mon seul amour ? – Tout aurait fini par un baiser presque maternel, par une caresse de ses longues et grandes mains sur mon front comme pour en chasser toute préoccupation et toute incertitude. Il est vrai qu'en ce temps-là je n'aurais jamais pensé à la surveiller et moins encore à mettre sa parole en doute. Tout était changé : elle dans son amour, moi dans le mien et tout semblait s'acheminer vers un changement pire encore.

Mais l'homme veut toujours espérer même lorsqu'il est convaincu qu'il n'y a plus d'espoir ; j'avais eu la démonstration qu'Emilia ne m'aimait plus et cependant un doute subsistait encore en moi, ou plutôt l'espoir d'avoir mal interprété un incident au fond sans importance. Je ne devais pas précipiter les choses, me dis-je, il fallait qu'Emilia elle-même me signifiât qu'elle ne m'aimait plus ; elle seule pouvait me donner les preuves qui me manquaient encore. Toutes ces pensées se succédaient rapidement dans mon esprit pendant qu'assis sur le divan je regardais dans le vide. Puis Emilia rentra, revint s'étendre derrière moi et reprit la lecture de sa revue. Je lui dis alors, sans me retourner : – Dans un instant Battista va téléphoner pour me proposer un nouveau scénario... une grosse affaire, cette fois...

– Eh bien ! tu seras content, je pense ?

– Ce scénario peut me faire gagner beaucoup d'argent, de quoi faire face au moins à deux échéances pour l'appartement...

Cette fois, elle garda le silence. – D'autre part – continuai-je – il présente une grande importance pour moi, car si je le fais, j'en aurai d'autres à la suite... il s'agit d'un grand film.

Elle demanda enfin, avec la voix distraite de quelqu'un qui parle tout en lisant et sans quitter sa page des yeux : – Quel film ?

– Je ne sais pas – répondis-je ; je pris un temps puis ajoutai sur un ton quelque peu solennel : – J'ai d'ailleurs décidé de refuser cette proposition...

– Et pourquoi ? – Sa voix était encore tranquille, indifférente.

Je me levai, fis le tour du divan et vins m'asseoir en face d'elle. Emilia abaissa la revue qu'elle était en train de lire et me regarda : – Parce que – me lançai-je en toute sincérité – parce que, tu le sais, je déteste ce genre de travail et ne le fais que par amour pour toi... pour payer cet appartement auquel tu tiens ou parais tenir si fort... mais j'ai acquis la certitude que tu ne m'aimes plus... alors tout cela devient inutile...

Elle me regardait avec de grands yeux, sans mot dire : – Tu ne m'aimes plus... je vais par conséquent abandonner ce métier...

Quant à la maison... eh bien, je l'hypothéquerai ou la vendrai... Je ne peux pas, vois-tu, continuer à vivre ainsi et je sens que le moment est venu de te le dire... maintenant tu sais... d'ici peu Battista va téléphoner et je l'enverrai au diable.

C'était fait, j'avais parlé et l'heure de l'explication, si redoutée et désirée à la fois, avait sonné. J'éprouvais un soulagement à cette pensée et je fixais Emilia avec une franchise toute neuve, attendant sa réponse. Elle ne répondit pas aussitôt. Évidemment ma brusque déclaration l'avait surprise. Puis, prudemment, comme si elle voulait gagner du temps :

– Quelque chose te fait donc penser que je ne t'aime plus ?

– Tout – répliquai-je avec une violence passionnée.

– Par exemple ?

– Dis-moi d'abord si c'est vrai ou non ?

Elle insista, obstinée : – Non, c'est à toi de me dire ce qui te fait penser ainsi ?

– Tout – répétai-je – ta façon de me parler, de me regarder, de te comporter vis-à-vis de moi... tout... il y a un mois, tu as même manifesté le désir que nous fassions chambre à part... jamais tu n'aurais voulu cela autrefois...

Elle me regardait, incertaine, puis tout à coup je vis passer dans ses yeux une lueur rapide de décision ; elle venait, j'en étais sûr, de définir l'attitude qu'elle prendrait vis-à-vis de moi et quoi que je fasse ou dise, rien ne modifierait sa ligne de conduite. Elle répondit avec douceur : – Je t'assure, je peux te donner ma parole, que je ne puis dormir avec la fenêtre ouverte... j'ai besoin d'obscurité et de silence... je te le jure...

– Mais je t'ai offert de fermer la fenêtre, la nuit.

– Et puis, il y a autre chose... – elle hésita – il y a que tu n'es guère silencieux quand tu dors...

– Que veux-tu dire ?

– Tu ronfles. – Elle eut un léger sourire et ajouta : – Tu me réveillais toutes les nuits... c'est pourquoi j'ai décidé de coucher seule.

Je fus assez étonné d'apprendre que je ronflais et j'eus peine à le croire ; j'avais dormi aux côtés d'autres femmes : aucune d'elles ne s'était jamais plainte de mes ronflements. Je poursuivis : – Tu ne m'aimes plus parce qu'une femme aimante... – j'hésitai, gêné – ne fait pas l'amour comme tu le fais depuis quelque temps avec moi...

Elle protesta aussitôt, presque âprement : – Je me demande vraiment ce que tu veux... nous faisons l'amour chaque fois que tu le désires... me suis-je jamais refusée à toi ?

Je savais que dans ce genre de conversation intime, c'était toujours moi, de nous deux, le plus pudique, timide, embarrassé. Emilia d'ordinaire si réservée et délicate paraissait perdre dans

44

l'intimité toute pudeur et toute gêne et il lui arrivait même – ce qui chaque fois me surprenait vaguement et m'attirait en même temps par je ne sais quelle innocence – de parler, avant, pendant et après l'amour, de l'amour lui-même, sans réticences, sans tendresse voilée, avec une crudité et une liberté déconcertantes.

Je dis entre mes dents : – Tu ne t'es pas refusée, soit… mais…

Elle continua avec véhémence : – Toutes les fois que tu as voulu faire l'amour, j'y ai consenti… et tu n'es pas homme à te contenter de l'acte tout simple… tu fais très bien l'amour…

– C'est vrai ? – fis-je, flatté malgré moi.

– Oui – dit-elle sèchement sans me regarder – eh bien, si je ne t'aimais pas, ta… virtuosité même m'aurait paru ennuyeuse et j'aurais cherché à m'esquiver… une femme peut toujours trouver des prétextes pour se refuser, n'est-ce pas ?

– C'est entendu – dis-je – tu ne t'es jamais refusée… mais c'est ta manière de faire l'amour qui me prouve que tu ne m'aimes pas !

– Et quelle est cette manière ?

J'aurais dû lui répondre : « Tu fais l'amour comme une prostituée soumise à son client et qui souhaite simplement que la chose soit vite faite… voilà ! » Mais, par respect pour elle et aussi pour moi-même, je préférai me taire. Elle aurait nié et peut-être m'aurait rappelé crûment, avec une précision technique, certains de ses transports sensuels où tout s'exprimait : habileté, recherche du plaisir, acharnement, fureur érotique, tout sauf la tendresse et l'abandon ineffable du véritable don de soi. Et je n'aurais su que lui opposer ; de plus, en l'offensant par une comparaison injurieuse, je me serais mis dans mon tort. Désolé, comprenant que l'explication que j'avais voulu provoquer s'était dérobée, je me contentai de dire : – En somme, quelle qu'en soit la raison, je suis convaincu que tu ne m'aimes plus, voilà tout…

Elle me fixa du regard avant de me répondre ou de faire un geste comme pour calculer d'après l'expression de mon visage l'attitude qu'il conviendrait de prendre. Je notai alors chez elle une particularité que je connaissais déjà ; son beau visage brun et placide, si harmonieux et régulier, subissait, dans l'irrésolution qui divisait son âme, une sorte de processus de décomposition : ses joues devenaient asymétriques, l'une semblant s'être subitement amaigrie, sa bouche était tirée de côté, ses yeux, égarés et sombres, paraissaient se dissoudre dans leur orbite comme dans une cire obscure. J'ai dit que je connaissais cette particularité ; elle apparaissait en effet chaque fois qu'Emilia devait prendre une décision qui lui déplaisait ou allait à l'encontre de sa nature.

Soudain, dans un brusque élan de tout son être, elle jeta ses bras autour de mon cou en s'écriant d'une voix qui résonna faux à mes oreilles : – Pourquoi parles-tu ainsi, Riccardo ?… je t'aime ni plus ni moins que par le passé ! – Je sentais son souffle chaud contre ma tête ; sa main effleura mon front, mes tempes et mes cheveux et elle attirait ma tête contre sa poitrine et l'étreignait de ses deux bras.

Mais la pensée me vint qu'elle m'embrassait ainsi pour me cacher son visage, peut-être seulement ennuyé et tendu comme lorsqu'une chose est faite sans aucune participation de l'âme, par pure volonté. Et tout en pressant ma tête contre sa poitrine à demi nue que soulevait sa respiration tranquille, dans ma nostalgie désespérée de l'amour, je ne pouvais m'empêcher de penser : « Ce ne sont là que des gestes... est-il possible qu'elle ne se trahisse pas par quelque phrase ou quelque intonation ? »

Et j'attendais, j'attendais, quand j'entendis sa voix qui risquait avec précaution :

– Que ferais-tu si vraiment je ne t'aimais plus ?

Elle s'était trahie : j'avais donc raison et pouvais savourer mon amer triomphe. Emilia voulait savoir quelles seraient mes réactions au cas où elle aurait cessé de m'aimer, pour mesurer les risques d'une totale franchise. Sans bouger, la tête enfouie dans sa poitrine douce et chaude, je murmurai : – Je te l'ai déjà dit... d'abord je refuserais la proposition de Battista. – J'aurais voulu ajouter : – et je me séparerais de toi – mais je n'eus pas le courage de le dire en cet instant, ayant ma joue contre son sein et sa main sur mon front. Au fond j'espérais encore qu'elle tenait à moi et redoutais que cette séparation même théoriquement admise, pût devenir réelle. – Mais je t'aime – l'entendis-je soupirer tandis qu'elle continuait à m'étreindre – et tout ceci est absurde... sais-tu ce que tu vas faire ? Quand Battista te téléphonera tu lui fixeras un rendez-vous, tu t'y rendras et accepteras ce travail...

– Mais pourquoi, puisque tu n'éprouves plus rien pour moi ?

Elle répondit, cette fois, sur un ton de raisonnement et de remontrance : – Je t'aime, ne me le fais pas répéter... et je tiens à rester ici... Si ce travail te déplaît, je ne discuterai pas... mais si tu veux y renoncer parce que tu te figures que je ne tiens plus à toi et à notre foyer, alors sache que tu te trompes...

J'eus le vague espoir qu'elle ne mentait pas et en même temps je sentis que, pour l'instant du moins, elle m'avait persuadé. Mais comme j'aurais voulu maintenant en savoir davantage, être tout à fait rassuré ! Alors, comme si elle avait deviné mon désir, elle lâcha prise et murmura : – Embrasse-moi, veux-tu ?

Je me redressai et la contemplai un moment avant de l'embrasser ; je fus frappé de l'expression de lassitude qui marquait son visage plus que jamais défait et irrésolu, comme si en me parlant, me caressant, m'étreignant, elle avait fourni un effort surhumain et s'apprêtait en m'embrassant à en faire un plus dur encore. Je la pris par le menton et j'avançai mes lèvres vers les siennes quand le téléphone sonna. – C'est Battista – dit-elle en se dégageant avec un soulagement manifeste et elle courut à la chambre. Du divan où j'étais resté assis, par la porte ouverte, je la vis prendre l'écouteur : – Oui – dit-elle – il est là, je vous le passe… comment allez-vous ?

Quelques paroles de l'autre côté du fil. Elle dit en me faisant de la main un signe d'intelligence : – Nous étions justement en train de parler de vous et de votre nouveau film…

D'autres phrases mystérieuses… Puis de nouveau sa voix posée : – Mais oui, nous nous reverrons comme avant… je vous passe Riccardo.

J'allai prendre l'écouteur. Comme je l'avais prévu, Battista m'annonça qu'il m'attendrait le lendemain, dans l'après-midi, à son bureau. Je répondis que j'irais, échangeai encore avec lui quelques paroles puis reposai l'écouteur. Alors seulement je m'aperçus que, tandis que je parlais, Emilia était sortie de la chambre. Et je pensai tout naturellement qu'elle s'en était allée parce qu'elle avait obtenu que j'accepte le rendez-vous de Battista ; désormais sa présence et ses caresses n'étaient plus nécessaires.

8

Le lendemain, à l'heure dite, je me rendis au rendez-vous fixé. Le bureau de Battista occupait tout le premier étage d'une maison ancienne, jadis habitée par une famille de l'aristocratie et devenue maintenant, comme cela arrive de nos jours, le siège de nombreuses sociétés commerciales. Au moyen de cloisons de bois, Battista avait fait diviser les vastes salons aux plafonds peints, aux murs recouverts de stucs et en avait fait autant de petites pièces meublées de façon utilitaire. Là où autrefois étaient suspendus des tableaux anciens à sujet mythologique ou sacré, on voyait aujourd'hui de grandes affiches publicitaires aux couleurs criardes ; partout étaient clouées des photographies d'acteurs et d'actrices, des pages de revues illustrées, des attestations encadrées de prix de festival et autres ornements classiques dans les sièges de sociétés cinématographiques. Dans l'antichambre, sur un fond décoloré de fresques de verdure, trônait un énorme comptoir métallique laqué de vert, derrière lequel trois ou quatre secrétaires accueillaient les visiteurs. Battista était un assez jeune producteur qui durant ces dernières années avait fait son chemin grâce à des films de facture assez plate, mais d'un bon succès commercial. Sa société, modestement intitulée « Triomphe Films », jouissait à l'époque d'une excellente cote.

À cette heure l'antichambre était déjà bondée et d'un coup d'œil, avec l'expérience que j'avais en la matière, je classai sans hésitation les divers visiteurs : des scénaristes, reconnaissables à leur allure en même temps lasse et affairée, à leur serviette serrée sous le bras, à leurs vêtements à la fois recherchés et négligés ; quelque vieil impresario de cinéma, pareil à un facteur rural ou à un maquignon ; deux ou trois filles, actrices en herbe ou figurantes, jeunes et peut-être charmantes, mais prématurément gâtées par une expression étudiée, un maquillage excessif, une toilette prétentieuse et des ambitions visibles ; finalement, quelques individus non qualifiables, de l'espèce qui ne manque jamais dans l'antichambre des producteurs : acteurs sans emploi, écrivains improvisés, quémandeurs de tout genre. Tous ces gens arpentaient de long en large le sol de mosaïque noirci ou se vautraient sur les sièges dorés alignés le long des murs, bâillant, fumant, parlant à mi-voix. Quand elles ne répondaient pas aux nombreux coups de téléphone, les secrétaires restaient immobiles derrière le comptoir, fixant le vide de leurs yeux que l'ennui et l'absence de pensées rendaient vitreux et presque bigles. De temps en temps une sonnerie stridente et désagréable se faisait entendre ; alors les secrétaires sursautaient, lançaient un nom, l'un des visiteurs se levait à la hâte et disparaissait derrière une porte à double battant blanc et or.

Je donnai mon nom et allai à mon tour m'asseoir au fond de la pièce. J'étais dans un état d'âme aussi désespéré que la veille, mais je me sentais plus calme. Aussitôt après ma conversation avec Emilia, j'avais réfléchi longuement et m'étais définitivement convaincu qu'elle avait menti en m'affirmant son amour ; mais, cette fois, un peu par découragement, un peu par une volonté pointilleuse de contraindre ma femme à l'explication complète et sincère que je n'avais pu obtenir encore, j'avais renoncé, au moins provisoirement, à agir conformément à mes desseins. Je ne refuserais donc pas la proposition de Battista bien que je sache désormais que mon travail, comme toute ma vie du reste, n'avait plus aucun but. J'aurais toujours le temps par la suite, dès que j'aurais arraché la vérité à Emilia, de suspendre mon travail et d'envoyer tout promener. Et même, d'une certaine façon, cette solution plus spectaculaire me convenait davantage : le scandale et le dommage causé souligneraient mon désespoir et en même temps ma stricte volonté d'en finir avec les hésitations et les compromis.

Comme je l'ai dit, je me sentais calme, mais d'un calme proche de l'apathie et de l'inertie ; un mal indéfini provoque des inquiétudes parce que au fond on espère jusqu'au bout qu'il n'est pas réel ; un mal certain inspire pendant quelque temps une morne tranquillité. Je me sentais calme, mais je savais que ce n'était pas pour longtemps ; la première phase, celle du soupçon, était terminée – au moins le croyais-je – bientôt commencerait la phase de la douleur, de la révolte et du remords. Et je n'ignorais pas qu'entre ces deux phases s'étendait un calme mortel semblable à cette fausse et suffocante accalmie qui précède la dernière et pire explosion d'un orage.

Tandis que j'attendais d'être introduit auprès de Battista, il me vint à l'esprit que jusqu'alors je m'étais borné à m'assurer de l'existence ou de la non-existence de l'amour d'Emilia. Maintenant que je croyais savoir indubitablement qu'elle ne m'aimait plus, je pouvais donc – et je fus presque surpris de cette découverte – m'attaquer à un nouveau problème, celui du motif de son indifférence. Une fois ce motif découvert, il me serait plus facile d'obliger ma femme à s'expliquer.

Je dois dire que cette nouvelle question éveilla en moi de l'incrédulité et me parut extravagante, invraisemblable, absurde. Emilia ne pouvait avoir aucune raison de se détacher de moi. D'où venait mon assurance à ce sujet ? Je n'aurais su le dire ; mais d'autre part, je ne parvenais pas davantage à expliquer pourquoi, alors qu'à mon sens elle ne pouvait avoir aucun motif pour cesser de m'aimer, le fait qu'elle ne m'aimait plus n'en était pas moins évident. Désorienté par cette contradiction entre mon cœur et mon esprit, je réfléchissais ; puis, comme lorsqu'on s'attaque à certains problèmes de géométrie, je finis par me dire : « Raisonnons par l'absurde : il existe un motif ; dans cette hypothèse, quel peut être ce motif ? »

J'ai remarqué que plus on est envahi par le doute, plus on s'attache à une fausse lucidité d'esprit avec l'espoir d'éclaircir par le raisonnement ce que le sentiment a rendu trouble et obscur. À cette heure où mon instinct ne me donnait que réponses contradictoires, je voulus recourir à une enquête raisonnée, menée à la façon d'un détective de roman policier : quelqu'un a été tué, il s'agit de rechercher ce qui a motivé le meurtre, de là on remontera aisément jusqu'au meurtrier… Pour Emilia, les motifs pouvaient être de deux sortes ; les premiers dépendant d'elle, les seconds, de moi. Mais les premiers, je m'en aperçus aussitôt, se résumaient en un seul : Emilia ne m'aimait plus parce qu'elle aimait ailleurs.

De prime abord, je crus pouvoir écarter résolument cette hypothèse. Rien dans la conduite récente d'Emilia qui pût faire penser à la présence d'un autre homme dans sa vie ; au contraire, je constatais même une recrudescence de sa solitude et de sa dépendance vis-à-vis de moi. Elle était presque toujours chez elle où elle passait son temps à lire, à téléphoner à sa mère ou à vaquer à ses occupations ménagères ; et quant à ses distractions : cinéma, promenades, dîners au restaurant, elle dépendait presque exclusivement de moi. Son existence avait certes été plus variée, et, d'une manière modeste, plus mondaine, dans les premiers temps de notre mariage, quand elle avait encore ses anciennes amitiés de jeune fille. Mais très vite ces amitiés s'étaient dénouées et elle s'était de plus en plus accrochée à moi, dans une dépendance si étroite que parfois elle était pour moi un peu gênante. Cette dépendance n'avait pas diminué avec le refroidissement de ses sentiments à mon égard. Elle n'avait pas cherché à me remplacer, ni même à faire quoi que ce fût en dehors de moi. Désormais sans amour, elle attendait à la maison, comme par le passé, mon retour du travail et ses seules distractions, elle les prenait avec moi. Dans cette dépendance sans amour, il y avait même quelque chose de pathétique et de mélancolique, l'attitude d'un être ayant la vocation de la fidélité et demeurant fidèle alors que les raisons de sa fidélité ont disparu. Quoiqu'elle ne m'aimât plus, je pouvais affirmer à coup sûr qu'elle n'avait que moi dans sa vie.

D'autre part, je la connaissais ou croyais la connaître assez pour savoir qu'elle ne pouvait être amoureuse d'un autre homme. Je la savais incapable de mentir ; elle avait avant tout une franchise rude et intolérante à laquelle toute fausseté semblait ennuyeuse et fatigante plus encore que choquante. Et puis, elle manquait presque totalement d'imagination, au point de ne pouvoir s'intéresser à une chose que si celle-ci était tout à fait concrète et réelle. Avec un tel caractère, j'étais donc certain qu'amoureuse d'un autre, elle n'eût rien trouvé de mieux que de m'en avertir aussitôt et de plus avec la brutalité inconsciemment cruelle propre à sa classe de petite-bourgeoise. Sans doute pouvait-elle être – et était-elle en effet maintenant – réticente et silencieuse en ce qui regardait le changement de ses sentiments à mon égard ; mais il lui eût été difficile sinon impossible d'avoir une double vie pour cacher un adultère, c'est-à-dire d'inventer ces rendez-vous chez la couturière ou la modiste, ces visites à des parents ou amies, ces retards dus à un spectacle ou à l'encombrement des rues auxquels recourent généralement les femmes en de telles circonstances. Non, sa froideur à mon égard ne signifiait pas pour autant qu'elle brûlât pour un autre. S'il y avait motif – et il devait y en avoir un – il ne fallait pas le rechercher dans sa vie, mais dans la mienne.

J'étais si absorbé par mes réflexions que je ne m'aperçus pas tout de suite qu'une secrétaire était debout devant moi, me répétant avec un sourire : – Monsieur Molteni, M. Battista vous attend. – Je me secouai et laissant provisoirement mon procès en suspens, j'entrai rapidement dans le studio du producteur.

Au fond d'un vaste salon au plafond peint, aux murs recouverts de stucs et de dorures, Battista était assis derrière un bureau métallique laqué en vert, tout semblable à celui de l'antichambre. Je m'aperçois que tout en ayant souvent déjà parlé de Battista, je ne l'ai pas encore décrit et qu'il n'est pas inutile de le faire. Battista était un de ces hommes que leurs collaborateurs et inférieurs gratifient, une fois le dos tourné, d'épithètes gracieuses telles que : « la brute », « le grand singe », « le gorille ». Je ne puis nier la part de vérité qu'il y avait dans ces épithètes, au moins quant à l'aspect physique de Battista, mais je déteste affubler qui que ce soit d'un sobriquet et n'avais jamais employé ces appellations. D'autant qu'à mon avis elles avaient le tort de ne pas tenir compte d'un trait de caractère tout à fait saillant chez Battista ; je veux parler de son astuce, pour ne pas dire sa finesse, toujours à l'affût derrière son apparente brutalité. C'était certes un gros animal, doué d'une vitalité tenace et exubérante, mais cette vitalité ne s'exprimait pas seulement dans ses multiples appétits, elle se manifestait aussi dans l'ingéniosité, souvent fort subtile et savante, qu'il mettait à les satisfaire.

Battista était de taille moyenne, avec des épaules très larges, un buste long et des jambes courtes ; d'où sa ressemblance avec un gros singe qui lui avait valu ses sobriquets. Son visage avait aussi quelque chose de simiesque : cheveux qui, laissant les tempes dégarnies, étaient plantés très bas au milieu du front ; sourcils épais et mobiles, petits yeux, nez court et large, grande bouche quelque peu prognathe, presque sans lèvres et mince comme une entaille. Battista n'avait pas de ventre mais de l'estomac, je veux dire qu'il portait en avant la poitrine et le haut de l'abdomen. Ses mains courtes et robustes étaient recouvertes de poils noirs qui continuaient au-delà du poignet, jusque sous ses manches ; une fois que nous étions ensemble au bord de la mer, j'avais remarqué qu'il avait la poitrine et les épaules hérissées de poils qui lui descendaient jusqu'au ventre. Cet homme à l'aspect brutal s'exprimait d'une voix douce, insinuante, conciliante, avec un accent liquide, un peu étranger, car il était né en Argentine. Dans cette voix inattendue et surprenante, je voyais un indice de cette astuce et de cette finesse dont j'ai parlé. Battista n'était pas seul. Devant le bureau était assis quelqu'un qu'il me présenta sous le nom de Rheingold.

Je savais qui était ce personnage, mais le voyais pour la première fois. Rheingold était un metteur en scène allemand qui, dans son pays, au temps du cinéma prénazi, avait dirigé quelques films du genre « kolossal » dont le succès avait été considérable. Rheingold n'était certes pas de la classe d'un Pabst ou d'un Lang ; mais c'était un metteur en scène de valeur qui n'avait pas l'esprit commercial et dont les ambitions peut-être discutables étaient toujours sérieuses. Après l'avènement de Hitler, il avait sombré dans l'oubli.

On avait raconté qu'il travaillait à Hollywood, mais aucun film signé de lui n'avait jamais été projeté en Italie durant ces dernières années. Et le voilà qui réapparaissait étrangement dans le bureau de Battista. Pendant que ce dernier parlait, je regardais Rheingold avec curiosité. Avez-vous vu sur quelque vieille estampe le portrait de Goethe ? La figure noble, régulière, olympienne de Rheingold rappelait ce portrait, avec cette même crinière de brillants cheveux argentés. C'était vraiment une tête de grand homme ; pourtant, un examen plus attentif me fit remarquer que cette majesté et cette noblesse n'étaient pas constantes ; les traits étaient un peu gros et avec quelque chose de spongieux et de léger comme dans les masques de carton-pâte ; ce visage donnait en somme l'impression qu'il n'y avait rien derrière, comme dans les faces sinistres de ces grosses têtes portées dans les cortèges de carnaval par des imbéciles. Rheingold se leva pour me serrer la main en inclinant la tête et claquant des talons avec une rigueur toute teutonne et je m'aperçus alors qu'il était petit, avec une largeur d'épaules qui confirmait la majesté du visage. Je remarquai aussi qu'en me saluant il souriait avec une grande affabilité, d'un large sourire en demi-lune, me montrant deux rangées de dents très régulières et trop blanches qui, je ne sais pourquoi, me firent penser à un dentier. Mais comme il se rasseyait, ce sourire disparut d'un seul coup sans laisser de trace, comme la lune s'éteint quand un nuage passe devant elle, cédant la place à une expression dure et désagréable en même temps qu'autoritaire et exigeante.

Battista, suivant son habitude, prit les choses de loin. Me montrant Rheingold, il dit : – Nous étions en train de parler de Capri... vous connaissez Capri, Molteni ?

– Un peu – répondis-je.

– J'y possède une villa – continua Battista – et j'étais justement en train de vanter à Rheingold ce lieu enchanteur qu'est Capri... Même un homme d'affaires comme moi s'y sent un peu devenir poète ! – C'était là un des traits de Battista qui se manifestait le plus fréquemment : cette façon d'exhaler son enthousiasme pour les choses belles et bonnes, pour tout ce qui appartient au domaine de l'idéal ; et, le plus déconcertant, c'est que cet enthousiasme était sincère quoique toujours lié de quelque manière à des fins peu désintéressées. Il reprit au bout d'un moment, comme remué par ses propres paroles : – Une nature luxuriante... un ciel merveilleux... une mer toujours bleue... et des fleurs, des fleurs partout... Je pense que si j'étais écrivain, comme vous Molteni, j'aimerais vivre à Capri pour m'y inspirer... Je ne comprends pas pourquoi les peintres ne peignent pas de tels paysages et nous donnent au contraire tant de vilaines toiles auxquelles on ne comprend rien… À Capri les tableaux sont pour ainsi dire déjà faits… il suffit de se mettre devant la nature et de la copier.

Je ne dis rien ; du coin de l'œil je regardais Rheingold et le vis approuver de la tête, avec son sourire suspendu au milieu de son visage comme un croissant de lune au milieu d'un ciel sans nuages. Mais Battista continuait : – Je projette toujours d'aller y passer quelques mois, hors des affaires, en plein repos, et jamais je n'y arrive… nous autres citadins, nous avons une existence contre nature… l'homme n'est pas fait pour vivre dans un bureau, parmi les paperasses… les gens de Capri ont l'air bien plus heureux que nous… il faut les voir le soir quand ils sortent pour se promener : jeunes gens et jeunes filles, souriants, tranquilles, aimables, joyeux… c'est qu'ils ont une existence sans grands événements, de petites ambitions, de petits intérêts, de petites difficultés… ah ! ils ont de la chance !

De nouveau un silence. Puis Battista reprit : – Comme je vous l'ai dit, j'ai une villa là-bas… malheureusement, je n'y habite jamais… peut-être n'y ai-je pas séjourné deux mois depuis que je l'ai achetée… et je disais précisément à Rheingold que cette villa serait l'endroit rêvé pour y faire le scénario du film… le paysage vous inspirerait… d'autant plus – je le faisais observer à Rheingold – qu'il est tout à fait dans la couleur du film…

– Monsieur Battista – intervint Rheingold – on peut travailler n'importe où… certes, le choix de Capri peut être favorable, surtout si, comme je le pense, nous tournons les extérieurs dans le golfe de Naples.

– Exactement… Rheingold me dit cependant qu'il préfère loger à l'hôtel à cause de ses habitudes, aimant d'autre part être seul à certaines heures pour réfléchir tranquillement à son travail… par contre, je pense que vous pourriez, vous Molteni, habiter la villa avec votre femme… il y a tout le confort et il ne sera pas difficile de trouver une femme du pays pour faire le ménage…

Comme toujours, je pensai d'abord à Emilia ; un séjour à Capri, dans une belle villa, pourrait peut-être résoudre bien des choses. Je dis vrai : sans raison, tout à coup, j'eus la certitude que là-bas, tout s'éclairerait. Ce fut donc avec une chaleur sincère que je remerciai Battista : – Merci… je pense moi aussi que Capri est indiqué pour écrire un scénario… ma femme et moi serons heureux de séjourner dans votre villa.

– Très bien, alors c'est entendu – dit Battista avec un geste de la main qui m'offensa vaguement, semblant vouloir arrêter un flot de remerciements que je n'avais nulle intention d'exprimer – entendu… vous irez à Capri et je viendrai vous y rejoindre… maintenant, parlons un peu du film…

« Il serait temps ! » pensai-je et je scrutai attentivement Battista. J'éprouvais maintenant un vague remords d'avoir accepté si vite son invitation. Sans savoir pourquoi, je devinais qu'Emilia désapprouverait ma hâte. « J'aurais dû dire que je réfléchirais, pensai-je un peu irrité, qu'il me fallait consulter ma femme… » Et la chaleur avec laquelle j'avais accueilli cette offre me semblait hors de propos ; j'en avais un peu honte. Cependant Battista poursuivait : – Nous sommes tous d'accord qu'il faut trouver quelque chose de nouveau ; la période de l'après-guerre est désormais finie et le besoin se fait sentir d'une formule nouvelle… le néo-réalisme, pour ne donner qu'un exemple, a lassé la plupart des gens… or, si nous analysons les motifs qui ont amené cette satiété, nous arriverons sans doute à déduire quelle pourrait être cette nouvelle formule…

Comme je l'ai déjà dit, je savais que Battista préférait ne jamais aborder un argument de façon directe. Ce n'était pas un cynique ou tout au moins ne voulait-il pas le paraître. Il lui était donc difficile de mettre en avant la question pécuniaire, comme tant d'autres producteurs plus francs que lui : le profit, qui n'était pas moins important pour lui que pour les autres, bien au contraire peut-être, restait toujours dans une ombre discrète. Quand le sujet d'un film ne lui paraissait pas assez rentable, on ne l'entendait jamais dire : – Ce scénario ne nous rapportera pas un sou ! – mais : – Ce sujet ne me plaît pas pour telle ou telle raison – et ces raisons étaient toujours d'ordre esthétique ou moral. Pourtant la question profit restait bien la pierre angulaire et l'on en avait la preuve lorsque après de nombreuses discussions sur le bien et le mal dans l'art cinématographique, une fois dissipé ce que j'appelais le « rideau de fumée » de Battista, son choix tombait invariablement sur la solution la plus commerciale. C'est pourquoi j'avais depuis longtemps perdu tout intérêt pour ses considérations interminables et alambiquées sur la beauté ou la laideur, la moralité ou l'immoralité des films ; et je l'attendais au point où il aboutissait fatalement : la question des bénéfices. Cette fois encore je pensai : « Il ne dira pas, bien sûr, que le film néo-réaliste a lassé les producteurs parce qu'il ne rapporte plus… voyons un peu ce qu'il va trouver… »

Et en effet, après un instant de réflexion, Battista reprit : – À mon avis, si tout le monde s'est fatigué du film néo-réaliste, c'est qu'il n'est pas sain…

Il fit une pause et je lançai un coup d'œil oblique à Rheingold qui ne broncha pas. Battista, qui par son silence avait voulu souligner le mot « sain », passa à l'explication de sa pensée : – Quand je dis pas sain, j'entends que ce genre de film n'encourage pas à vivre… ne donne pas confiance dans la vie… il est déprimant, pessimiste, noir… Mis à part le fait qu'il représente l'Italie comme un pays de loqueteux – à la plus grande joie des étrangers, lesquels ont intérêt à nous juger comme une nation de mendiants – à part ce fait somme toute assez important, le film réaliste insiste trop sur les côtés négatifs de l'existence, sur tout ce qu'il y a de laid, de bas, d'anormal dans la vie humaine. Je le répète, c'est un film pessimiste, malsain, qui rappelle aux gens leurs difficultés au lieu de les aider à les surmonter.

Je regardais Battista, me demandant une fois de plus s'il pensait vraiment ce qu'il disait. Il y avait une indubitable sincérité dans ses paroles, encore que ce fût peut-être la sincérité de quelqu'un aisément convaincu des choses qui lui sont utiles; néanmoins, il était sincère. Et il poursuivit de cette voix au timbre singulièrement inhumain, un peu métallique jusque dans sa douceur : – Rheingold m'a fait une proposition qui m'a paru intéressante… il a remarqué que depuis quelque temps les films à sujet tiré de la Bible ont un grand succès… ce sont effectivement ceux qui ont le plus fait recette – ajouta-t-il d'un ton plus bas, comme s'il ouvrait une parenthèse sans importance – et pourquoi ? D'après moi, parce que la Bible est vraiment le livre le plus sain qui ait jamais été écrit… Donc Rheingold m'a dit : – Les Anglo-Saxons ont la Bible, vous autres Méditerranéens, vous avez Homère, c'est bien cela ? – s'interrompit-il en se tournant vers Rheingold, comme incertain de sa citation.

– Tout à fait – confirma celui-ci dont le visage refléta une légère perplexité.

– Pour vous, Méditerranéens – enchaîna Battista continuant à citer Rheingold – Homère est en quelque sorte ce qu'est la Bible pour les Anglo-Saxons… alors, pourquoi ne ferions-nous pas un film sur *L'Odyssée*, par exemple ?

Un silence. Étonné, je pensais gagner du temps et demandai avec effort : *L'Odyssée* tout entière ou un épisode de *L'Odyssée* ?

– Nous avons discuté la question – repartit aussitôt Battista – et avons conclu qu'il valait mieux prendre en considération l'ensemble même de *L'Odyssée*… mais ceci n'a que peu d'importance… ce qui importe… – et il haussa la voix – c'est qu'en relisant Homère, j'ai enfin compris ce que je cherchais depuis si longtemps sans m'en rendre compte… que j'étais sûr de ne pas trouver dans les films néo-réalistes… quelque chose que, par exemple, je n'ai jamais trouvé dans les sujets que vous m'avez proposés ces derniers temps, Molteni… cette chose que je sentais sans me l'expliquer, indispensable au cinéma comme à la vie : la poésie !

Je regardai de nouveau Rheingold; son sourire s'était élargi et il approuvait de la tête. Je dis au hasard et plutôt sèchement : – Dans *L'Odyssée*, chacun sait que la poésie, il y en a à chaque page… le tout est de la faire passer dans le film…

– Très juste – dit Battista prenant une règle sur le bureau et la pointant dans ma direction : – Très juste… mais pour cela vous serez deux, Rheingold et vous… je sais que la poésie est là… à vous de l'extraire !

– *L'Odyssée* est un monde – répondis-je – on peut en tirer tout ce qu'on veut… il suffit de savoir à quel point de vue l'on se place…

Battista parut déconcerté par mon manque d'enthousiasme et me contempla avec une lourde attention, comme pour deviner quelles intentions se cachaient derrière ma froideur. Finalement il parut repousser son examen à plus tard et, se levant, il fit le tour du bureau, puis se mit à marcher de long en large dans la pièce, la tête haute, les mains dans les poches de son pantalon. Nous nous retournâmes pour le regarder et tout en marchant, il continua : – Ce qui m'a surtout frappé dans *L'Odyssée*, c'est que la poésie d'Homère est toujours spectaculaire et quand je dis spectaculaire, j'entends ce qui plaît infailliblement au public… prenons, si vous voulez, l'épisode de Nausicaa : toutes ces belles filles dévêtues qui s'ébattent dans l'eau sous les yeux d'Ulysse caché derrière un buisson… c'est, avec quelques variantes, une scène de *Belles au bain…* prenez maintenant Polyphème, le monstre à l'œil unique, le géant… mais c'est *King-Kong*, un des plus gros succès d'avant la guerre… et Circé, dans son château, mais c'est Antinéa dans *L'Atlantide…* Voilà ce que j'appelle spectaculaire… et ce spectacle-là est aussi poésie…

Très excité, Battista s'arrêta devant nous et ajouta avec solennité : – C'est ainsi que je vois *L'Odyssée* de Triomphe Films.

Je gardai le silence. Je me rendais compte que pour Battista la poésie signifiait tout autre chose que pour moi-même ; d'après ses conceptions, *L'Odyssée* de Triomphe Films serait calquée sur les films bibliques d'Hollywood à grande figuration, avec monstres, femmes nues, scènes de séduction, érotisme et grandiloquence. Au fond le goût de Battista était encore celui des producteurs italiens du temps de D'Annunzio ; et comment eût-il pu en être autrement ? Cependant il avait refait le tour du bureau, était revenu s'asseoir et m'interpellait : – Eh bien ! Molteni, qu'en dites-vous ?

Quiconque connaît le monde du cinéma sait que certains films, avant même que le premier mot du scénario soit écrit, sont assurés de voir le jour ; pour d'autres, au contraire, même une fois le contrat signé et des centaines de pages de manuscrit rédigées, on pourrait parier qu'ils ne seront jamais achevés. Or, avec mon flair de scénariste professionnel, je devinais aussitôt, à travers les paroles de Battista, que cette *Odyssée* serait un de ces films dont on parle beaucoup mais qui au bout du compte ne se font pas. Pourquoi ? Je n'aurais su le dire… Peut-être à cause de l'ambition démesurée de l'œuvre, ou simplement de l'aspect physique de

Rheingold, si majestueux assis et si petit debout… Je sentais que, semblable ainsi à Rheingold, ce film aurait un début imposant et une conclusion inexistante, justifiant ainsi la célèbre phrase sur les sirènes : « *Desinit in piscem.* » Mais pourquoi Battista tenait-il à faire un tel film ? Je le savais très prudent, au fond, et décidé à gagner sans risques. Sans doute nourrissait-il l'espoir informulé de trouver un financement massif, américain, peut-être, en jouant sur le grand nom d'Homère, cette Bible des peuples méditerranéens, comme disait Rheingold. Mais, d'autre part, je n'ignorais pas que Battista, pareil en ceci aux autres producteurs, trouverait, au cas où le film ne se ferait pas, quelque bon prétexte pour ne pas rémunérer mon travail. C'est ainsi que cela se passe toujours : si le film échoue en cours de route, les rétributions sont à l'eau et, en outre, le producteur propose de reporter la rémunération du scénario déjà fait sur un autre travail à venir ; le pauvre scénariste, contraint par la nécessité, n'osant refuser. Je me dis donc qu'en tout état de choses, il fallait me mettre à couvert en demandant un contrat et surtout un acompte ; or, pour arriver à mes fins, il n'y avait qu'un moyen : soulever des difficultés, laisser entendre que ma collaboration n'était rien moins qu'assurée. Je répondis d'un ton sec : – Je dis que c'est une fort belle idée !

– Pourtant, vous n'avez pas l'air très enthousiaste…

Je répondis avec assez de sincérité : – Je crains que ce ne soit pas mon genre… que ce scénario soit en dehors de mes capacités…

– Et pourquoi ? – fit Battista qui commençait à se monter – vous m'avez toujours dit que vous désiriez participer à un film de qualité… et maintenant que je vous en offre la possibilité, vous vous retirez…

Je tentai de m'expliquer : – Voyez-vous, Battista, je me sens fait surtout pour les films psychologiques ; or, celui-ci, si j'ai bien compris, sera purement spectaculaire… du genre des films américains tirés de sujets bibliques…

Cette fois, Battista n'eut pas le temps de répondre car Rheingold intervint inopinément : – Monsieur Molteni – me dit-il en rappelant sur son visage son habituel sourire en croissant de lune, un peu comme un acteur s'applique de fausses moustaches sous le nez, et se penchant vers moi avec une expression obséquieuse et presque flagorneuse – M. Battista s'est fort bien exprimé et a brossé un tableau parfait du film que je voudrais réaliser avec son aide… toutefois, il a parlé en producteur, en tenant surtout compte du côté spectaculaire… mais si vous vous sentez taillé pour les sujets psychologiques, alors n'hésitez pas à faire ce scénario, car ce film, voyez-vous, n'est pas autre chose que le développement des rapports psychologiques entre Ulysse et Pénélope… le thème que je veux illustrer est celui d'un homme qui aime sa femme et qui n'en est pas aimé...

Je restai abasourdi, d'autant plus que la physionomie de Rheingold, illuminée par son sourire artificiel, semblait me refuser toute échappatoire : je devais répondre et sur-le-champ. Alors, au moment même où j'allais protester : – Mais il est inexact que Pénélope n'aime pas Ulysse – la phrase du metteur en scène rappela subitement à mon esprit le problème de mes rapports avec Emilia, rapports qui étaient en effet ceux d'un homme aimant sa femme et n'en étant pas aimé ; en même temps, par une mystérieuse association d'idées, un souvenir remonta du fond de ma mémoire comme une réponse soudaine à la question que je me posais durant mon attente dans l'antichambre : pourquoi Emilia avait-elle cessé de m'aimer ?

Ce que je vais raconter maintenant pourra peut-être sembler long, en réalité cette évocation passa dans mon esprit avec la rapidité de l'éclair. Donc, tandis que Rheingold penchait vers moi son visage souriant, je me revis tout à coup dans le salon de notre logeur, en train de dicter quelques pages d'un scénario. Ce travail qui durait depuis plusieurs jours allait prendre fin et j'étais encore incapable de dire si la dactylographe qui travaillait pour moi était agréable à voir ou non ; c'est alors qu'un petit incident m'ouvrit pour ainsi dire les yeux. Elle tapait je ne sais quelle phrase à la machine quand en regardant ce qu'elle écrivait par-dessus son épaule, je m'aperçus qu'elle avait commis une erreur. Aussitôt, voulant la corriger, je me penchai pour rectifier moi-même du doigt la faute de frappe. Et ce faisant, j'effleurai sans le vouloir la main de la jeune femme, une main grande et forte qui contrastait singulièrement avec l'exiguïté de la personne. Je m'aperçus qu'elle ne retirait pas sa main ; je tapai un autre mot et cette fois, non sans intention, je touchai ses doigts. Mes yeux se portèrent alors sur son visage et je vis qu'elle me regardait à son tour avec une expression d'attente et presque d'invite. Surpris comme si je la voyais pour la première fois, je constatai que c'était une assez jolie femme, avec une petite bouche charnue, un nez mutin, de grands yeux noirs et des cheveux abondants et frisés qui lui découvraient le front. Mais ce visage pâle et menu avait une expression maussade et dédaigneuse. Dernier détail : comme elle disait avec une grimace : – Excusez-moi, j'ai eu une distraction – je fus frappé du ton sec et précis, nettement désagréable, de sa voix. Donc, je la regardai et je vis qu'elle soutenait mon regard d'une façon presque agressive. Sans doute laissai-je percer quelque trouble et crut-elle que je lui répondais sans dire mot, car dès lors et pendant plusieurs jours, nous passâmes notre temps à nous regarder. Ou plutôt, c'était elle qui, toutes les fois qu'elle le pouvait, me fixait longuement, effrontément, avec une impudence voulue, recherchant mon regard quand il la fuyait, s'efforçant de retenir mes yeux lorsqu'ils rencontraient les siens et de les scruter quand ils s'arrêtaient sur elle. Ces échanges de regards furent d'abord rares, puis de plus en plus fréquents. À la fin, ne sachant comment les éviter, je pris le parti de dicter en marchant derrière elle. Mais la rusée coquette trouva le moyen de tourner la difficulté en me regardant dans un grand miroir pendu au mur en face d'elle, de telle sorte que chaque fois que je levais les yeux, je voyais les siens dans la glace. Finalement il arriva ce qu'elle désirait voir arriver : un jour que, comme d'habitude, je me penchais au-dessus d'elle pour corriger une erreur, nos regards se rencontrèrent et nos bouches s'unirent un instant dans un rapide baiser. Ses premières paroles, une fois nos lèvres désunies, furent caractéristiques. – Enfin ! je commençais vraiment à croire que tu ne te déciderais jamais. – Elle paraissait sûre de me tenir, si sûre que, le baiser pris, sans en demander un autre, elle se remit au travail. J'étais confus et plein de remords ; certes, la fille me plaisait, sinon je ne l'aurais pas embrassée, mais j'étais certain de ne pas l'aimer et, au fond, elle avait arraché ce baiser à ma vanité masculine par une insistance qui m'avait flatté. Maintenant, elle tapait sans me regarder, les yeux baissés, plus que jamais séduisante avec sa figure ronde et pâle et sa grande crinière sombre. Puis elle fit, exprès sans doute, une autre erreur et instinctivement je m'apprêtais à la corriger. Elle surveillait mes gestes et à peine ma tête était-elle proche de la sienne qu'elle se retourna, m'enlaça le cou de son bras et me saisissant l'oreille, attira ma bouche vers la sienne. À ce moment la porte s'ouvrit et Emilia entra.

Je crois inutile d'exposer en détail ce qui s'ensuivit. Emilia disparut aussitôt et moi, après avoir hâtivement déclaré à la jeune personne : – Pour aujourd'hui, Mademoiselle, le travail est terminé… vous pouvez disposer – je sortis presque en courant et rejoignis ma femme dans la chambre. Je m'attendais à une scène de jalousie, mais Emilia se contenta de me dire en me voyant entrer : – Tu pourrais au moins enlever le rouge que tu as sur les lèvres. – Je m'essuyai, vins m'asseoir à côté d'elle et voulus me justifier en lui disant toute la vérité. Elle m'écouta avec un air indéfinissable de méfiance ombrageuse, mais au fond indulgente, et finalement me déclara que si j'aimais vraiment cette secrétaire, je n'avais qu'à le dire, car elle était prête à accepter une séparation. Mais elle s'exprimait sans acrimonie, avec une sorte de douceur mélancolique, comme si elle m'invitait tacitement à démentir ses paroles. Enfin, après de longues explications et un grand désarroi (car j'étais atterré à la pensée qu'Emilia pourrait me quitter) elle sembla convaincue et, avec maintes résistances et refus, consentit à me pardonner. Le jour même, dans l'après-midi, je téléphonai à la secrétaire en présence d'Emilia pour l'informer que je n'avais plus besoin de ses services. Elle chercha à m'arracher un rendez-vous en dehors de chez moi ; mais ma réponse fut évasive et depuis je ne la revis jamais plus.

Ce récit, je l'ai dit, a pu sembler long. Mais en réalité ce souvenir se présenta à ma mémoire sous forme d'une image fulgurante : celle d'Emilia ouvrant la porte à la minute où j'embrassais la dactylo. Comment n'y avais-je pas pensé plus tôt ? Sans doute, me dis-je, les choses s'étaient passées de la façon suivante : sur-le-champ, Emilia n'avait pas paru accorder grande importance à cet incident ; mais peut-être, au fond d'elle-même, en était-elle restée singulièrement troublée. Par la suite, elle y avait repensé et à force de revenir sur ce premier souvenir de plus en plus lourd et dur, elle l'avait par une désillusion croissante peu à peu exaspéré. Ainsi ce baiser qui n'avait été pour moi qu'une faiblesse passagère, avait provoqué dans son âme un trauma – pour employer un terme psychiatrique – c'est-à-dire une blessure que le temps avait avivée au lieu de la cicatriser.

Tout occupé par ces pensées, je devais avoir l'air tout à fait absent, car à travers le nuage épais qui enveloppait mon esprit, j'entendis soudain la voix un peu inquiète de Rheingold qui me demandait : – Mais, m'entendez-vous, monsieur Molteni ? – Les nuages se dissipèrent d'un coup, je revins à moi et vis la figure affable du metteur en scène tendue vers la mienne : – Excusez-moi – dis-je – j'étais distrait… je pensais à ce que vous veniez de dire, Rheingold… un homme qui aime sa femme et n'en est pas aimé… mais… mais… – Ne sachant que dire, j'émis l'objection qui m'était spontanément venue à l'esprit : – Voyons, dans le poème, Ulysse est aimé de Pénélope… et dans un certain sens même, *L'Odyssée* tout entière pivote autour de cet amour de Pénélope pour Ulysse.

D'un sourire, Rheingold écarta mon objection : – Amour, non, monsieur Molteni, fidélité… Pénélope est fidèle à Ulysse, mais nous ne savons pas jusqu'à quel point elle l'aime… comme vous le savez, on peut être parfois absolument fidèle et cela sans aimer… Dans certains cas même, la fidélité est une forme de vengeance, de chantage, de revanche de l'amour-propre… fidélité, dis-je, non amour…

Ces paroles de Rheingold me frappèrent une fois de plus et de nouveau me ramenèrent à la pensée d'Emilia. Je me demandai si au lieu de la fidélité et de l'indifférence je n'eusse pas préféré la trahison avec le remords qui en est la conséquence. Oui, indubitablement, Emilia m'ayant trompé et se sentant en faute m'aurait permis de la regarder avec sécurité. Or, je venais de me démontrer à moi-même que, de nous deux, c'était moi qui avais trahi.

Perdu dans mes réflexions, j'étais une fois de plus absent; je fus rappelé à l'ordre par la voix de Battista qui me disait : – Eh bien ! c'est convenu, Molteni, vous travaillerez avec Rheingold ?

Je répondis avec effort : – C'est entendu.

– Très bien – prononça Battista satisfait – alors, voilà ce que nous allons faire : Rheingold doit partir pour Paris demain matin et y rester une semaine. Pendant ce temps, Molteni, vous me faites un résumé de *L'Odyssée* et vous me le soumettez… dès que Rheingold sera revenu nous partirons ensemble pour Capri et vous vous mettrez tout de suite à l'œuvre.

Après quelques mots qui récapitulaient notre conversation, Rheingold se leva et machinalement je me levai aussi. C'eût été le moment – je le sentais – de parler de mon contrat et de l'acompte que j'exigeais; si je ne saisissais pas cette occasion, Battista me roulerait mais la pensée d'Emilia me tourmentait et plus encore l'étrange analogie entre l'interprétation homérique de Rheingold et mon cas personnel. Je parvins cependant à balbutier tandis que nous nous dirigions vers la porte : – Et le contrat… ?

– Il est prêt – dit Battista, tout à fait à l'encontre de mes prévisions, et avec une intonation de circonstance, nuancée de magnanimité : – Et votre acompte vous attend également, Molteni… vous n'avez qu'à passer au secrétariat pour signer l'un et retirer l'autre.

La surprise me laissa interdit; étant donné ce qui s'était passé pour mes précédents scénarios, je m'attendais à des ratiocinations subtiles de Battista tendant à diminuer mes honoraires et à en retarder le règlement, et voici qu'il me payait sur l'heure, sans discuter. Pendant que nous passions dans la pièce contiguë où se trouvaient les services administratifs, je ne pus m'empêcher de murmurer : – Merci, Battista… j'en avais besoin, vous savez…

Je me mordis les lèvres; d'abord, il était faux que j'eusse besoin d'argent, au moins de façon urgente, ainsi que je venais de le laisser entendre et je sentis obscurément que je n'aurais pas dû parler de la sorte. Battista vint aiguiser mon remords : Je l'avais deviné, mon garçon – fit-il en me tapotant l'épaule d'un geste protecteur et paternel – je l'avais deviné et j'y ai pourvu. – Puis s'adressant à un secrétaire assis à un bureau : – Voici M. Molteni pour le contrat et l'avance sur ses honoraires.

Le secrétaire qui s'était levé ouvrit aussitôt un dossier dont il tira un contrat tout prêt auquel un chèque était épinglé. Battista après avoir serré la main de Rheingold et m'avoir de nouveau donné une tape dans le dos en me souhaitant bon travail, retourna dans son bureau. – Alors, monsieur Molteni – me dit Rheingold en s'approchant à son tour la main tendue – nous nous retrouverons à mon retour de Paris… pendant ce temps, vous faites un condensé de *L'Odyssée*, vous l'apportez à M. Battista et le discutez avec lui…

– Entendu – dis-je un peu étonné car j'avais cru m'apercevoir qu'il me faisait un clin d'œil d'intelligence. Rheingold remarqua mon regard et brusquement me prit par le bras puis approchant sa bouche de mon oreille : – Soyez tranquille – fit-il dans un souffle – ne vous faites pas de soucis… laissez parler Battista… nous ferons un film psychologique et uniquement psychologique. – Je notai qu'il prononçait ce mot avec l'accent allemand : *psuchologuique* ; il me sourit, me serra la main, inclina sèchement la tête, claqua des talons et sortit. Je le regardai s'éloigner et tressaillis à la voix du secrétaire qui me disait : – Monsieur Molteni, voulez-vous avoir l'amabilité de signer ici… ?

9

Il n'était que sept heures et en rentrant chez moi j'appelai en vain Emilia en parcourant l'appartement désert ; elle était sortie et ne rentrerait pas avant l'heure du dîner. Je me sentis déçu, presque amer. J'avais compté la trouver et lui parler immédiatement de l'incident de la dactylo, sûr que ce baiser était à l'origine de notre désaccord et, plein d'une assurance nouvelle, je me proposais de dissiper en quelques mots notre malentendu, puis de communiquer à Emilia les bonnes nouvelles de l'après-midi : mon contrat pour *L'Odyssée*, l'acompte reçu, le départ pour Capri. On me dira que cette explication était simplement repoussée de deux heures, j'éprouvais malgré tout un sentiment irritant de déception et comme un mauvais pressentiment. En ce moment, j'étais sûr de mon affaire ; dans deux heures, saurais-je être aussi convaincant ? Comme on le voit, bien que je voulusse me persuader que j'avais enfin éclairci la situation, c'est-à-dire trouvé le vrai motif de l'éloignement d'Emilia, au fond je n'étais pas sûr de moi. Et ce contretemps suffisait à me remplir d'appréhension et de mauvaise humeur.

Déprimé, énervé, perplexe, j'allai dans le salon et cherchai machinalement sur les rayons de la bibliothèque la traduction de *L'Odyssée* par Pindemonte. Puis je m'assis devant mon bureau, plaçai une feuille de papier sur la machine à écrire et, après avoir allumé une cigarette, m'apprêtai à commencer mon résumé. Je pensais que le travail calmerait mon anxiété ou tout au moins me la ferait momentanément oublier ; j'avais d'autres fois expérimenté ce remède. J'ouvris donc le volume et lus lentement tout le premier chant. Puis, en haut de la page, je tapai le titre : Epitomé de *L'Odyssée* et un espace en dessous je commençai : « Depuis quelque temps déjà la guerre de Troie est finie. Tous les héros grecs qui y ont participé sont désormais retournés chez eux. Tous sauf Ulysse qui est demeuré loin de son île et des siens. » Parvenu à ce point, un doute me vint sur l'opportunité d'introduire dans mon abrégé le conseil des dieux durant lequel se discute justement le retour d'Ulysse à Ithaque ; pour y réfléchir, je laissai mon travail en suspens. Cette assemblée des dieux était importante, car elle introduisait dans le poème la notion de la fatalité et de la vanité en même temps que de la noblesse et de l'héroïsme des efforts humains. Supprimer cette assemblée signifiait annuler le côté surnaturel du poème, éliminer toute intervention divine, supprimer la présence si aimable et poétique des diverses divinités. Mais sans nul doute Battista ne voudrait rien savoir des dieux qui ne représenteraient à ses yeux que des bavards inconséquents, s'affairant à prendre des décisions dont l'initiative pouvait fort bien être laissée aux protagonistes. Quant à Rheingold, son allusion ambiguë au film psychologique ne présageait rien de bon pour les divinités ; la psychologie exclut manifestement la fatalité et les interventions célestes, tout au plus retrouve-t-elle le destin au fond de l'âme humaine, dans les replis obscurs du subconscient. Superflus donc ces dieux non spectaculaires et antipsychologiques… Mes réflexions sur ce point devenaient de plus en plus confuses et lentes ; de temps à autre je jetais un coup d'œil sur la machine à écrire en me disant qu'il fallait me remettre au travail, mais je ne parvenais pas à me décider et ne remuais pas le petit doigt. Immobile devant mon bureau, je finis par tomber dans une profonde et vide rêverie, remuant en moi-même la saveur aigre et froide des sentiments complexes et désagréables qui m'agitaient ; mais étourdi, las et vaguement irrité, je n'arrivais pas à me les définir. Puis tout à coup, comme une bulle d'air vient affleurer la surface immobile d'un étang, cette pensée me vint à l'esprit : « Maintenant il va falloir que j'estropie *L'Odyssée* à la manière habituelle des réductions cinématographiques… et une fois le manuscrit terminé, ce volume ira dans ma bibliothèque retrouver tous ceux qui m'ont déjà servi pour d'autres scénarios… et dans quelques années, en recherchant un autre livre à massacrer pour un autre film, je reverrai celui-ci et me dirai : tiens, je faisais alors le scénario de *L'Odyssée* avec Rheingold… et ce travail a été fait en pure perte… Après avoir parlé chaque jour, matin et soir, pendant des mois, d'Ulysse et de Pénélope, des Cyclopes, de Circé, des Sirènes, le film ne fut pas fait, faute… faute d'argent. » À cette pensée, je fus saisi une fois de plus d'un dégoût profond pour ce métier qui m'était imposé. De nouveau, avec une douleur aiguë, je sentis que ce dégoût venait de la certitude qu'Emilia ne m'aimait plus. Jusqu'ici je n'avais travaillé que pour elle ; son amour venant à me manquer, mon travail n'avait plus aucun but.

Je ne sais combien de temps je restai immobile, recroquevillé sur ma chaise, en face de la machine à écrire, les yeux fixés sur la fenêtre. J'entendis enfin battre la porte d'entrée de l'appartement, un bruit de pas, et je compris qu'Emilia était rentrée. Je ne bougeai pas. Enfin la porte s'ouvrit derrière mon dos et la voix d'Emilia me demanda : – Tu es ici !… Que fais-tu ? Tu travailles ? – Je me retournai.

Elle était sur le seuil, son chapeau sur la tête, un paquet à la main. Aussitôt, avec une spontanéité qui m'étonna après tant de doutes et d'appréhension, je lui répondis : – Non, je ne travaille pas, j'étais en train de me demander si je dois ou non accepter ce nouveau scénario de Battista.

Elle ferma la porte et vint me parler debout près de mon bureau.

– Es-tu allé chez Battista ?

– Oui.

– Et vous ne vous êtes pas mis d'accord ?… ce qu'il t'offre n'est pas suffisant ?

– Si, suffisant… et nous sommes d'accord.

– Mais alors ?… est-ce le sujet qui te déplaît ?

– Non, c'est un bon sujet…

– De quoi s'agit-il ?

Je la regardai un instant avant de répondre ; comme à son ordinaire, elle paraissait distraite et indifférente, visiblement elle parlait par obligation. – C'est *L'Odyssée* – répondis-je brièvement. Elle posa son paquet sur le bureau puis enleva lentement son chapeau et de la main ébouriffa ses cheveux. Mais son expression était vague et distraite ; ou elle n'avait pas compris qu'il s'agissait du célèbre poème, ou bien – et c'était plus probable – le titre, tout en ne lui étant pas totalement inconnu, ne lui disait rien. – Alors – fit-elle avec une sorte d'impatience – ça ne te plaît pas ?

– Je t'ai dit que si.

– *L'Odyssée*, c'est bien ce qu'on apprend à l'école ? Pourquoi ne veux-tu pas faire ce scénario ?

– Parce que cela ne me dit plus rien.

– Mais, ce matin même, tu avais décidé d'accepter…

Je compris tout à coup que le moment était venu d'une nouvelle et, cette fois, définitive explication. Je me levai d'un bond et saisis Emilia par le bras : – Allons à côté, il faut que je te parle.

Elle eut un mouvement de recul, moins effrayée du ton de ma voix que de la force presque convulsive avec laquelle je serrais son bras : – Qu'est-ce qui t'arrive ? Tu es fou !…

– Non, je ne suis pas fou, allons à côté, je veux te parler…

Je l'entraînai malgré elle vers le salon et la poussai sur un fauteuil : – Assieds-toi. – Je m'assis en face d'elle : – Et maintenant, nous allons parler.

Elle me regarda incertaine, encore un peu inquiète :

– Eh bien, parle, je t'écoute…

Je commençai d'une voix froide et unie : – Hier, tu t'en souviens, je t'ai dit que je n'avais pas envie de faire ce scénario parce que je n'étais plus sûr de ton amour… et tu m'as répondu que tu m'aimais et qu'il fallait accepter… n'est-ce pas ?

– C'est vrai…

– Eh bien – dis-je résolument – je suis persuadé que tu m'as menti… pourquoi ? je n'en sais rien… peut-être par pitié, peut-être par intérêt…

– Mais quel intérêt ? – interrompit-elle âcrement.

– L'intérêt – m'expliquai-je – que tu peux avoir à rester dans cette maison que tu aimes…

Je fus étonné de la violence de sa réaction. Elle se leva brusquement et haussant la voix : – Mais qu'en sais-tu ?… je ne tiens pas du tout à cette maison, absolument pas… je suis toute prête à retourner dans une chambre meublée… on voit bien que tu ne me connais pas… cela m'est tout à fait égal…

À ces mots, j'éprouvai un sentiment aigu de douleur comme lorsqu'on voit déprécier de façon injurieuse un don qui vous a coûté bien des sacrifices amers. Après tout, cet intérieur dont elle parlait avec tant de mépris avait été ma vie durant ces deux dernières années ; pour lui j'avais laissé un travail que j'aimais, j'avais abandonné mes plus chères ambitions. Presque sans voix, incrédule toutefois, je demandai : – Comment, tu n'y tiens pas ?

– Pas le moins du monde… – Sa voix était presque discordante à force de mépris exaspéré. – As-tu compris ?… pas le moins du monde !…

– Mais, hier encore, tu m'as dit que tu tenais à cette maison ?

– Je l'ai dit pour te faire plaisir… parce que je pensais que tu y tenais, toi…

Je tombais des nues : c'était donc moi qui avais renoncé à mes ambitions théâtrales, moi qui n'avais jamais attaché d'importance à ce genre de choses, c'était moi qui tenais à cette maison… Je compris que, mue par une raison que j'ignorais, elle était en pleine mauvaise foi et qu'il ne servirait à rien de l'exciter, de lui tenir tête et de lui rappeler combien elle avait désiré ce qu'elle semblait dédaigner si fort maintenant. Ce n'était là d'ailleurs qu'un détail, ce qui m'importait était bien autre chose. – Laissons notre intérieur de côté – dis-je en m'efforçant de me maîtriser et de prendre un ton conciliant et raisonnable – ce n'est pas de notre foyer que je voulais te parler, mais de tes sentiments à mon égard… hier, tu m'as menti, je ne sais pour quelle raison, en me disant que tu m'aimais… et c'est parce que tu m'as menti que je n'ai plus le courage de tra-

vailler pour le cinéma… je le faisais uniquement pour toi…
puisque tu ne m'aimes plus, je n'ai plus aucune raison…

– Mais qui te dit que je t'ai menti ?

– Tout et rien… nous en avons discuté hier et je ne désire pas
recommencer… ce sont des choses qui ne s'expliquent pas, qui se
sentent… et je sens que tu ne m'aimes plus…

Elle eut pour la première fois un élan de sincérité :

– Mais pourquoi tiens-tu à savoir certaines choses ? – demanda-
t-elle tout à coup d'une voix triste et lasse, les yeux fixés sur la
fenêtre – laisse donc… cela vaudra mieux pour nous deux.

– Tu vois, tu reconnais que j'ai raison !

– Je ne reconnais rien… je voudrais seulement que tu me laisses
la paix… la paix !

Il y avait presque un sanglot dans sa voix… Elle ajouta : – Et
maintenant, je vais me changer… – puis elle voulut se diriger vers
la porte, mais je la saisis par le poignet. C'était entre nous un geste
fréquent quand elle se levait pour s'en aller et qu'elle passait devant
moi : je l'arrêtais par le poignet qu'elle avait fin et allongé. Mais ce
geste, je le faisais autrefois poussé par un désir subit que j'avais
d'elle ; elle le sentait et s'arrêtait docile, attendant que je lui entoure
les jambes de mon bras et que je niche ma tête dans son sein, ou
que je l'attire sur mes genoux. Et après quelque résistance et beaucoup de caresses, cela finissait par l'amour, là où nous nous trou-
vions, sur le fauteuil ou le divan tout proche. Mais cette fois, mon
intention était bien différente et je ne pus moins faire que de le ressentir avec amertume. Elle ne me résista pas et resta debout contre
moi, me regardant de toute sa hauteur : – En somme, puis-je savoir
ce que tu veux de moi ?

– La vérité…

– Tu veux pousser les choses au pire… voilà ce que tu veux… !

– Tu admets donc que cette vérité ne me fera pas plaisir… ?

– Je n'admets rien…

– Mais tu viens de le dire… cela finirait mal…

– J'ai dit cela en l'air… Laisse-moi m'en aller…

Elle ne se débattait pas cependant, attendant simplement que je
dénoue mon étreinte. Et je pense que j'aurais préféré une rébellion
violente à cette froide et méprisante patience. Avec l'espoir secret
de provoquer en elle un sentiment de tendresse, je retrouvai mon
ancien geste qui préludait autrefois à l'amour et lâchant son poignet, j'enlaçai ses jambes. Elle avait une jupe longue, plissée et très
large et à travers cette jupe je sentis se raidir ses belles jambes élancées, musclées et fermes, comme un mât de navire au milieu d'une
abondante voilure. Et le désir s'empara de moi, presque douloureux par son impétuosité et la sensation d'impuissance désespérée

66

qui l'accompagnait. Je dis en levant les yeux sur elle : – Emilia, qu'as-tu contre moi ?

– Je n'ai rien… laisse-moi partir…

Mes bras se resserrèrent plus étroitement autour de ses jambes et je pressai mon visage contre son flanc. D'ordinaire quand je faisais ce geste, je sentais au bout d'un moment sa grande main que j'aimais tant se poser sur ma tête en une lente et amoureuse caresse. C'était le signe de son trouble et de son consentement à mon désir. Mais cette fois, sa main pendante restait immobile. Une telle attitude, si différente de celle que j'avais connue, me donna un coup au cœur. J'abandonnai ses genoux et lui ressaisissant le poignet, je lui criai : – Non, tu ne t'en iras pas… tu me dois la vérité… à l'instant même… tu ne t'en iras pas tant que tu ne m'auras pas dit la vérité !

Elle continuait à me regarder de haut en bas ; je ne la voyais pas mais il me semblait sentir son regard hésitant peser sur ma tête courbée. – Eh bien, tu l'auras voulu – dit-elle enfin – je ne demandais pas mieux que de continuer à vivre comme par le passé… mais puisque tu le veux, c'est vrai… je ne t'aime plus… voilà la vérité !

Il est possible de se représenter les choses les plus épouvantables et de les imaginer en sachant pertinemment qu'elles existent. Mais voir confirmer ces suppositions ou plutôt ces certitudes provoque toujours un choc douloureux, comme si on ne les avait jamais envisagées. Au fond, j'avais toujours su qu'Emilia ne m'aimait plus. Mais l'entendre de sa bouche me glaça. Elle ne m'aimait plus : ces mots tant de fois ressassés dans mon esprit prenaient sur ses lèvres une signification nouvelle. Il ne s'agissait plus d'une supposition, toute mêlée fût-elle de certitude, mais bien d'un fait. Et ces mots avaient un poids, une dimension qu'ils n'avaient jamais eus dans ma pensée. Comment reçus-je cette révélation, je ne m'en souviens pas. Je tressaillis probablement, comme on frissonne en se mettant sous une douche glacée alors qu'on sait à l'avance l'impression que l'on va ressentir. Puis je m'efforçai de me ressaisir et de me montrer raisonnable et objectif. – Viens ici – dis-je à Emilia, le plus doucement que je pus – assieds-toi et explique-moi comment c'est arrivé ?

Elle obéit, s'assit sur le divan et me répondit, comme poussée à bout : – Il n'y a rien à expliquer… je ne t'aime plus, voilà tout…

Plus je cherchais à me montrer raisonnable, plus l'épine de cette douleur indicible s'enfonçait dans ma chair. Je me forçai péniblement à sourire. – Tu admettras bien au moins que tu me dois une explication… même quand on congédie un domestique on lui en donne les raisons…

– Je ne t'aime plus, je ne puis rien dire d'autre…

– Mais pourquoi ?... tu m'aimais autrefois, n'est-ce pas ?

– Oui, beaucoup... maintenant c'est fini.

– Tu m'as beaucoup aimé ?

– Oui, beaucoup... mais c'est fini...

– Enfin, pourquoi ?... il y a bien une raison ?

– Peut-être... mais je ne puis l'expliquer... je ne sais qu'une chose, c'est que je ne t'aime plus.

– Ne répète pas cela sans cesse – m'écriai-je en haussant la voix malgré moi.

– C'est toi qui me fais répéter... tu ne veux pas t'en convaincre... alors je te le répète...

– J'en suis convaincu maintenant.

Le silence tomba. Emilia avait allumé une cigarette et fumait les yeux baissés. J'étais courbé sur mes genoux, la tête dans mes mains. – Et si je te disais, moi, le motif de ton changement, le reconnaîtrais-tu ?

– Puisque je ne le sais pas moi-même...

– Oui, mais tu pourrais peut-être le reconnaître si je te le disais...

– Bon, eh bien, alors, dis-le...

– Ne me parle pas sur ce ton ! – J'aurais crié tant j'étais blessé par cette manière de parler expéditive et indifférente. Mais je me maîtrisais et m'efforçais de garder un ton posé : – Tu te souviens – commençai-je – de cette fille, cette dactylo qui vint ici il y a quelques mois pour me taper un scénario à la machine... tu nous as surpris au moment où je l'embrassais... ce fut de ma part une faiblesse stupide... mais ce baiser a été le premier et le dernier et il n'y eut pas autre chose, je te le jure... je n'ai jamais revu cette fille... Dis-moi la vérité, est-ce cet incident qui t'a détachée de moi ? parle franchement... est-ce à partir de cet instant que tu as commencé à ne plus m'aimer ?

Tout en parlant, je la regardais avec attention. Elle eut un mouvement de surprise et de dénégation et j'eus l'impression que ma supposition lui paraissait absurde. Puis je la vis changer d'expression comme sous l'influence d'une pensée soudaine : – Admettons que ce soit ce baiser... maintenant que tu es fixé, es-tu soulagé ?

Je compris aussitôt qu'elle n'était pas sincère ; son motif, ce n'était pas ce baiser. Visiblement, ma supposition avait d'abord surpris Emilia tant elle était loin de la vérité, et puis un calcul rapide l'avait incitée à accepter cette version. Le motif de son détachement devait être beaucoup plus grave que ce baiser sans conséquence. Et elle ne voulait pas me le révéler par un reste d'égards pour moi. Emilia n'était pas méchante, je le savais, elle n'aimait pas faire de la peine. Le véritable motif devait être offensant. Je dis avec douceur : – Ce n'est pas vrai, Emilia, ce baiser n'est pour rien dans ton éloignement...

– Pourquoi dis-tu cela, je viens de te dire le contraire ?

– Non, il ne s'agit pas de ce baiser... il y a autre chose !

– Je ne sais ce que tu veux dire.

– Tu le sais fort bien...

– Non, parole d'honneur, je ne le sais pas...

– Et moi je te dis que si...

Elle parut sur le point de perdre patience et puis, sur un ton quasi maternel qu'elle adoptait volontiers : – Pourquoi tiens-tu donc à savoir tant de choses ? Tu es bizarre... à quoi bon remuer tout cela... que t'importe !

– Je préfère la vérité, quelle qu'elle soit, au mensonge... de plus, si tu ne me parles pas franchement, je pourrais imaginer Dieu sait quoi... quelque chose de très mal !

Elle me regarda sans mot dire avec une intensité singulière : – De quoi te tourmentes-tu ? Tu as la conscience tranquille, n'est-il pas vrai ?

– Moi, bien sûr !

– Alors, que t'importe le reste...

J'insistai : – C'est donc vrai ? Il s'agit de quelque chose de très laid ?

– Je n'ai pas dit cela... je t'ai simplement dit que puisque ta conscience ne te reproche rien, le reste doit être sans importance...

– J'ai la conscience tranquille, c'est vrai... mais cela ne signifie rien... il arrive que la conscience elle-même se trompe...

– Mais pas la tienne, n'est-ce pas ? – fit-elle avec une pointe d'ironie qui ne m'échappa pas et me parut plus blessante que son indifférence.

– Même la mienne...

– Allons, il faut que je m'en aille – dit-elle brusquement – tu n'as rien d'autre à me dire ?

– Tu ne partiras pas avant de m'avoir dit la vérité.

– Je te l'ai déjà dit : je ne t'aime plus.

Ces quatre paroles, quel mal elles me faisaient ! Je me sentis pâlir et la suppliai douloureusement : – Je t'ai priée de ne pas me le répéter... tu me fais trop souffrir...

– C'est toi qui m'obliges à le répéter... je n'ai, certes, aucun plaisir à te le dire.

– Comment veux-tu que je croie que tu ne m'aimes plus à cause de ce baiser ? – poursuivis-je en suivant le fil de mes pensées – un baiser, c'est si peu de chose... cette fille était une coquette et je ne l'ai jamais revue... tu sais bien tout cela et tu le comprends... non, en vérité, tu ne m'aimes plus parce que... – je cherchais mes mots pour exprimer ma pénible et obscure intuition – parce qu'il s'est passé quelque chose, quelque chose qui a influé sur tes sentiments à mon égard, qui a changé même entièrement l'idée que tu te faisais de moi et en conséquence ton amour...

– Il faut reconnaître que tu es intelligent – dit-elle avec une surprise sincère et presque admirative.

– Alors, c'est vrai ?

– Je n'ai pas dit cela mais seulement que tu es intelligent...

Je sentais la vérité toute proche, j'allais la toucher du doigt : – En somme, avant un certain événement tu avais bonne opinion de moi... ensuite tu m'as mal jugé et de ce fait tu as cessé de m'aimer ?

– C'est possible...

Un sentiment horrible m'envahit soudain. Ce ton calme que j'adoptais était faux ; je n'étais pas raisonnable, je souffrais d'une souffrance aiguë, j'étais désespéré et furieux, j'étais anéanti ; pourquoi employais-je ce ton de modération ? Je ne sais ce qui me prit à ce moment. Avant que je pusse m'en rendre compte, je m'étais brusquement levé en hurlant : – Ne crois pas que je me contente de balivernes... – J'avais bondi sur Emilia, l'avais saisie à la gorge et renversée sur le divan et je vociférais tout contre son visage : – Dis la vérité, dis-la une fois pour toutes !

Son grand corps harmonieux que j'aimais tant se débattait sous mes mains ; son visage devenait rouge et gonflé : je devais serrer fort, j'aurais voulu la tuer. – Dis la vérité, la vérité... – répétai-je et je redoublai en pensant : « Je vais l'étrangler, mais mieux vaut la voir morte qu'ennemie ! » Soudain je sentis qu'un de ses genoux cherchait à me frapper au ventre et elle y parvint en effet avec une telle violence que j'eus le souffle coupé. Ce coup me fut aussi douloureux que la phrase : « je ne t'aime plus », car c'était le coup d'un ennemi qui cherche à faire le plus de mal possible à son adversaire. En même temps, ma haine meurtrière tomba d'un seul coup ; je relâchai mon étreinte et Emilia se libéra en me repoussant si fort que je tombai du divan. Alors, avant que je pusse me relever, elle me cria d'une voix exaspérée : – Je te méprise ! Voilà le sentiment que j'ai pour toi et la raison pour laquelle je ne t'aime plus... je te méprise et tu me dégoûtes quand tu me touches... Tu as voulu la vérité : eh bien, je te méprise et tu me dégoûtes...

J'étais debout. Mes yeux et en même temps ma main se portèrent sur un cendrier massif en cristal qui se trouvait sur la table. Emilia crut certainement que je voulais la tuer, car elle poussa un gémissement de frayeur et se couvrit le visage de son bras. Mais mon ange gardien m'assista : je ne sais comment je réussis à me dominer, je reposai le cendrier sur la table et sortis de la pièce.

10

Comme je l'ai déjà raconté, Emilia n'avait reçu qu'une instruction rudimentaire ; après les années d'école communale, elle n'avait fréquenté les cours que peu de temps ; rapidement elle avait abandonné les études pour apprendre la dactylographie et la sténographie et à seize ans elle était déjà employée dans un bureau d'avocat. Il est vrai qu'elle appartenait à ce qu'on appelle une bonne famille, c'est-à-dire une famille autrefois aisée et qui avait possédé quelques biens dans les environs de Rome. Mais le grand-père d'Emilia avait dissipé son patrimoine en mauvaises spéculations et le père avait été jusqu'à sa mort petit fonctionnaire au ministère des Finances. Elle avait donc grandi dans la pauvreté et, par son éducation et sa façon de penser, elle était restée du peuple ; aussi semblait-elle ne pouvoir compter que sur son bon sens populaire, si solide qu'il paraissait parfois stupidité ou étroitesse d'esprit. Mais à l'aide de ce seul bon sens, il lui arrivait, d'une manière tout imprévue et pour moi mystérieuse, d'exprimer des pensées ou des appréciations très sagaces, un peu comme ces gens du peuple plus proches de la nature que les autres et dont le jugement n'est troublé par aucune convention, aucun préjugé. C'est parce qu'elle les pensait qu'elle disait certaines choses avec sérieux, sincérité, clarté, et en effet ses paroles avaient l'accent indubitable de la vérité. Mais comme elle ne se rendait pas compte de sa sincérité, elle ne s'en vantait pas, confirmant par cette modestie le caractère authentique de son jugement.

Aussi, ce jour-là, quand elle me cria : – Je te méprise – je ne doutai pas un instant que ces termes qui dans une autre bouche pouvaient ne rien vouloir dire, revêtaient pour elle un sens précis : elle me méprisait vraiment et désormais il n'y avait plus rien à faire. Même en ignorant tout du caractère d'Emilia, l'accent avec lequel elle avait prononcé cette phrase ne me laissait aucun doute : c'était l'accent du mot à sa naissance, directement émané de la chose elle-même, prononcé par quelqu'un qui s'en servait peut-être pour la première fois et qui, poussé par la nécessité, l'avait puisé au fond ancestral de la langue, sans le chercher, presque involontairement. Ainsi, parfois, le paysan, avec le jargon de son terroir, les mots qu'il estropie, les expressions archaïques qu'il emploie, prononce-t-il une phrase lumineuse de bon sens, de jugement pénétrant qui surprendrait dans une autre bouche et qui, venant de lui, émerveille et semble presque incroyable. – Je te méprise – ces trois mots avaient – je le sentais amèrement – la même résonance authentique que ces trois autres, si différents, qu'elle avait prononcés en m'avouant pour la première fois son amour : – Je t'aime tant !

Convaincu de la sincérité et de la vérité de ces mots cruels, je me mis, une fois seul, à marcher de long en large, le cerveau vide, les mains tremblantes, les yeux égarés, ne sachant que faire. Chaque minute qui passait semblait enfoncer plus profondément dans mes fibres ces trois épines, les trois mots d'Emilia. Mais en dehors de la douleur aiguë et croissante dont j'étais parfaitement conscient, je ne comprenais plus rien. Le plus dur pour moi, outre de n'être plus aimé, c'était d'être méprisé ; mais incapable de trouver à ce mépris une explication quelconque, si légère fût-elle, j'éprouvais une vive sensation d'injustice et en même temps la crainte qu'il n'y eût pas injustice et que ce mépris fût bien fondé, incontestable pour les autres, inexplicable pour moi. J'avais de moi-même une assez haute opinion, tout au plus teintée d'une sorte de pitié, comme pour un homme peu chanceux, que le sort n'avait pas favorisé autant qu'il le méritait, mais qui n'avait rien que d'estimable. Et voici que cette phrase d'Emilia venait bouleverser cette conception ; pour la première fois je me demandais si je me connaissais et me jugeais tel que j'étais, sans fausse complaisance envers moi-même.

Finalement, j'allai dans la salle de bains et mis ma tête sous le robinet ; le jet d'eau froide me fit du bien : cette phrase incendiaire de ma femme m'avait mis le cerveau en feu. Je me peignai, me rafraîchis le visage, renouai ma cravate et revins au salon. Mais la vue du couvert préparé dans l'embrasure de la fenêtre me fit horreur ; nous ne pouvions nous asseoir à table comme les autres jours et manger ensemble dans cette pièce toute résonnante encore des paroles qui m'avaient bouleversé. À ce moment Emilia ouvrit la porte et apparut ; son visage avait retrouvé son habituelle expression placide et reposée. Je dis sans la regarder : – Je n'ai pas envie de dîner ici ce soir… dis à la bonne que nous sortons… et puis habille-toi… nous dînerons dehors…

Elle répondit un peu surprise : – Mais le dîner est déjà prêt… et les choses sont bonnes à jeter ensuite !

Je criai, repris par ma fureur : – Cela suffit ! Jette tout ce que tu veux, mais habille-toi, parce que nous dînons dehors… – Je n'avais pas levé les yeux sur elle, mais je l'entendis murmurer : – Quelles manières !!! – et elle referma la porte.

Quelques minutes plus tard nous sortions de la maison. Dans la rue étroite, flanquée de maisons modernes aux façades garnies de balcons et de vérandas, pareilles à la nôtre, notre petite auto de série nous attendait parmi de nombreuses voitures de luxe ; c'était une acquisition récente dont – comme pour l'appartement – la plus grosse partie restait à payer avec les gains du futur scénario. Je ne l'avais que depuis quelques mois et j'éprouvais encore le sentiment de vanité un peu puérile qu'inspire au début un agrément de ce genre. Mais ce soir-là, tandis que nous nous dirigions vers la voiture, côte à côte, sans nous regarder, sans nous toucher, en silence, je ne pus m'empêcher de penser : voilà une auto qui, avec l'appartement, représente le sacrifice de mes ambitions, un sacrifice désormais inutile... J'eus un moment la sensation précise du contraste entre cette rue luxueuse où tout semblait neuf et précieux, notre intérieur dont les fenêtres nous regardaient du troisième étage, la voiture qui nous attendait à quelques mètres, et mon infortune qui donnait à toutes ces choses acquises un caractère d'inutilité et de satiété.

Je montai dans la voiture, attendis qu'Emilia se fût assise et étendis le bras pour fermer la portière de son côté. D'habitude, en faisant ce geste, je frôlais ses genoux ou bien, tournant la tête, j'effleurais sa joue d'un rapide baiser. Cette fois, j'évitai instinctivement de la toucher. Je fis claquer la portière et nous restâmes un instant immobiles et silencieux. – Où allons-nous ? – demanda enfin Emilia. J'hésitai puis répondis au hasard : – Allons à la Voie Appienne.

– Mais c'est trop tôt pour aller à la Voie Appienne... il y fera froid et il n'y aura personne.

– Tant pis... il y aura nous, en tout cas.

Elle se tut et nous prîmes la direction de la Voie Appienne. Descendus de notre quartier, nous traversâmes le centre et prîmes par la via des Trionfi et la Promenade archéologique, longeant les antiques murailles couvertes de mousse, les jardins potagers, les parcs, les villas nichées dans les arbres qui marquent le début de la Voie Appienne. Puis ce fut l'entrée des Catacombes éclairée par deux faibles réverbères. Emilia avait raison : il était trop tôt pour cet endroit. En entrant dans le restaurant au nom antique, nous ne trouvâmes dans la grande salle faussement rustique, ornée d'amphores et de dalles funéraires brisées, que des tables vides et une nuée de serveurs. Nous étions seuls et la pensée me vint que cette salle déserte et mal chauffée, avec l'empressement fastidieux de son trop nombreux personnel, n'était guère l'endroit propice pour résoudre le problème de notre vie commune. Puis je me souvins que, deux ans auparavant, au temps de notre amour, nous étions souvent venus y dîner et je compris pourquoi, instinctivement, j'avais choisi, parmi tant d'autres, ce restaurant si morne et solitaire en cette saison.

Le garçon se tenait devant moi, le menu à la main, de l'autre côté le sommelier s'inclinait pour me tendre la carte des vins. Je me mis à lire le menu, énumérant les plats à Emilia, penché vers elle comme un mari empressé et galant. Elle gardait les yeux baissés et répondait par monosyllabes : – Oui, non, bien… – Je commandai un vin fin, malgré les protestations d'Emilia qui n'en voulait pas. – Je le boirai, moi – dis-je. Le sommelier me fit un sourire d'intelligence et s'éloigna avec le garçon.

Je ne décrirai pas notre dîner dans ses détails et ne veux que dépeindre mon état d'âme de ce soir-là, état d'âme tout nouveau pour moi et qui, par la suite, devait représenter la normale dans mes rapports avec Emilia. On dit que c'est l'automatisme qui nous permet de vivre sans trop de fatigue en nous rendant inconscients de la plupart de nos mouvements. Un seul pas demande la mise en action d'une quantité de muscles et cependant, en vertu de l'automatisme, nous le faisons sans nous en rendre compte. Il en va de même dans nos rapports avec autrui. Tant que j'avais cru être aimé d'Emilia, une sorte d'automatisme heureux avait présidé à notre vie commune et, dans ma conduite envers elle, seul l'épanouissement final s'illuminait à la lueur de ma conscience, tout le reste demeurant dans la pénombre d'une habitude tendre et machinale. Mais maintenant que j'étais dépouillé de l'illusion de l'amour, je prenais conscience de chacun de mes actes, même du plus insignifiant. J'offrais à boire à Emilia, je lui passais la salière, je la regardais, cessais de la regarder : chaque geste s'accompagnait d'une connaissance douloureuse, butée, impuissante, désespérée. Je me sentais gêné, troublé, paralysé, ne pouvais rien faire sans me dire : est-ce bien ? est-ce mal ? J'avais perdu toute assurance. Avec des étrangers, on peut toujours espérer retrouver la confiance perdue ; avec Emilia, il s'agissait d'une expérience passée, défunte : je n'avais plus rien à espérer.

Ainsi entre nous le silence s'étendait, à peine interrompu par quelques phrases banales : – Veux-tu du vin, du pain ? encore un peu de viande ? – Je voudrais pouvoir décrire la qualité de ce silence qui s'établit ce soir-là entre nous pour ne plus jamais nous abandonner. C'était un silence insupportable parce que totalement négatif, fait de la suppression de tout ce que j'aurais voulu dire et que je me sentais incapable d'exprimer. Le définir un silence hostile serait inexact. Il n'y avait pas d'hostilité entre nous, tout au moins de ma part, mais seulement de l'impuissance. J'avais besoin de parler, j'avais tant de choses à dire et en même temps je sentais que désormais les mots étaient inutiles et que je n'aurais su trouver le ton convenable. Je me taisais donc, non certes avec la sensation détendue et tranquille d'un homme qui n'éprouve pas le besoin de parler, mais de celui dont l'esprit bouillonne de choses à dire et en est conscient mais qui se heurte en vain contre cette conscience comme contre les barres de fer d'une prison. Il y avait plus encore : je sentais que ce mutisme si intolérable était cependant pour moi l'état le plus favorable. Et qu'en le rompant, même de la façon la plus adroite et bienveillante, je risquais de provoquer des explications plus intolérables encore, si c'était possible, que ce silence lui-même.

Hélas, je n'étais pas encore accoutumé à me taire. Nous mangeâmes le premier plat, puis le second, sans rien dire ; au dessert, je n'y tins plus et je m'adressai à Emilia : – Pourquoi es-tu muette ?

Elle répondit aussitôt : – Parce que je n'ai rien à dire.

Elle n'avait pas l'air triste ni hostile et ses paroles avaient l'accent de la vérité. Je repris gravement : – Ce que tu m'as dit tout à l'heure mériterait d'être longuement expliqué.

Du même ton sincère, elle dit : – Oublie ces choses... fais comme si je ne les avais jamais dites...

L'espoir me revint : – Pourquoi les oublierais-je ? Si j'étais sûr qu'elles ne soient pas vraies... qu'elles te soient échappées dans la colère...

Cette fois, elle ne répondit pas. Et je m'accrochai de nouveau à l'espoir. Peut-être m'avait-elle crié son mépris par réaction contre ma violence. J'insistai prudemment : – Avoue-le, ces vilaines choses que tu m'as dites aujourd'hui ne sont pas vraies... elles te sont venues parce qu'à ce moment tu croyais me haïr et voulais m'offenser...

Elle me regarda profondément et se tut. Il me sembla – mais peut-être me trompais-je – que ses grands yeux sombres étaient embués de larmes. Mon cœur bondit, j'allongeai le bras et saisis sa main sur la nappe : – Emilia, ce n'était pas vrai, n'est-ce pas ?

Elle retira sa main avec une brusquerie insolite, dans une contraction non seulement du bras mais de tout son corps :

– Si, c'était vrai.

Je fus frappé par l'accent de sincérité absolue et en même temps désolée de cette réponse. Elle semblait avoir conscience qu'à ce moment un mensonge pouvait tout arranger, au moins pour quelque temps, au moins en apparence ; et un instant elle avait eu visiblement la tentation de mentir. Mais, après réflexion, elle y avait renoncé. J'eus une nouvelle et plus violente crispation de douleur et, baissant la tête, je murmurai les dents serrées : – Mais ne comprends-tu pas qu'il y a des choses qu'on ne peut dire à personne, sans les justifier, à personne et moins encore à son propre mari.

Elle ne répondit pas et se contenta de me regarder avec une certaine appréhension ; mon visage devait être en effet bouleversé par la colère : – Tu m'interroges, je te réponds – répliqua-t-elle enfin.

– Mais tu es tenue de t'expliquer !

– C'est-à-dire ?

– Tu dois m'expliquer pourquoi... pourquoi tu me méprises...

– Ah! cela, je ne te le dirai jamais!… fût-ce sur le point de mourir!

Je fus saisi par son accent extraordinairement résolu. Mais ma surprise dura peu. J'étais possédé par une fureur qui ne me laissait pas le temps de réfléchir : – Dis-moi – insistai-je en reprenant sa main, mais cette fois dans une étreinte rien moins que tendre – dis, pourquoi me méprises-tu ?

– Je t'ai déjà répondu que je ne te le dirai jamais.

– Dis-le, sinon je te fais mal… – et, hors de moi, je lui tordis la main. Elle me regarda, un instant stupéfaite, puis une grimace de douleur lui contracta la bouche et ce mépris dont je venais de parler se dépeignit sur son visage. – Lâche-moi – dit-elle brutalement – voilà que tu veux, en plus me faire du mal ? – Je remarquai ce « en plus » qui paraissait faire allusion à d'autres violences que je lui aurais fait subir et j'eus le souffle coupé. – Lâche-moi, n'as-tu pas honte ? Les garçons nous regardent…

– Dis pourquoi tu me méprises…

– Ne fais pas l'imbécile… laisse-moi.

– Dis pourquoi tu me méprises…

– Ouf! – Elle libéra sa main d'un geste violent qui fit tomber un verre sur le sol. Il y eut un bruit de verre brisé, Emilia se leva et se dirigea vers la porte en me disant à haute voix : – Je vais t'attendre dans la voiture pendant que tu règles l'addition.

Elle sortit et je restai cloué sur place, assis, anéanti, moins de l'humiliation subie – comme l'avait dit Emilia, tous les garçons inoccupés ne nous avaient pas quittés des yeux et n'avaient pas perdu un seul mot ni un seul geste de notre altercation – que de la conduite insolite de ma femme. Jamais elle ne m'avait parlé sur ce ton; jamais elle ne m'avait injurié. Ce « en plus » continuait à me sonner aux oreilles comme une désagréable énigme de plus à débrouiller; quand et comment avais-je commis les choses dont, par ce « en plus », elle se plaignait ? J'appelai enfin le garçon, réglai la note et sortis à mon tour.

Une fois dehors, je m'aperçus que le temps, toute la journée incertain et brumeux, s'était mis à la pluie, une petite pluie fine et serrée. Dans l'obscurité, j'entrevis la silhouette d'Emilia debout contre la voiture; j'avais fermé la portière à clé et elle m'attendait patiemment sous la pluie. Je m'excusai d'une voix mal assurée : – Pardonne-moi, j'avais oublié que la voiture était fermée.

– Cela n'a pas d'importance, il pleut si peu… – répondit sa voix calme. Et, une fois encore, devant sa condescendance, l'espoir d'une réconciliation s'éveilla follement dans mon cœur. Était-il possible de mépriser un être et de lui parler d'une voix si douce, si affable ? J'ouvris la portière et nous prîmes place tous deux dans la voiture. Je mis le contact et d'un ton qui me parut tout à coup

76

étrangement léger, presque de bonne humeur : – Eh bien, Emilia, où veux-tu aller ?

Elle me répondit, les yeux fixés devant elle : – Je ne sais pas... où tu voudras.

J'embrayai et la voiture partit. Je viens de le dire, j'éprouvais je ne sais quelle impression d'optimisme, de désinvolture, presque de gaieté, comme si en tournant la chose en plaisanterie, en remplaçant la gravité et la passion par la légèreté et le badinage, je pouvais parvenir à nous rapprocher. Je ne sais ce qui m'avait pris à ce moment ; peut-être le désespoir, comme un vin trop capiteux, m'était-il monté à la tête ? Je dis d'un ton insouciant, volontairement désinvolte : – Allons à l'aventure, au petit bonheur...

Mais en prononçant ces mots, je me sentis terriblement maladroit, comme un estropié qui voudrait esquisser un pas de danse. Cependant Emilia se taisait et je m'abandonnai à ce que je croyais être ma verve et qui ne devait pas tarder à se révéler un piètre essai. Je conduisais maintenant le long de la Voie Appienne dont, à la lueur des réverbères qui s'alignaient devant nous, au travers des mille fils scintillants de la pluie, nous pouvions par instants apercevoir les cyprès, les briques rougeâtres des ruines, les blanches statues de marbre, les grosses pierres disjointes du pavage romain. Nous roulâmes un moment et puis tout à coup je rompis le silence d'une voix faussement exaltée : – Oublions pour une fois qui nous sommes et imaginons que nous sommes deux étudiants cherchant un coin tranquille, loin des regards indiscrets, pour faire en paix l'amour.

Elle continuait à se taire et moi, encouragé par son silence, je stoppai brusquement la voiture. La pluie maintenant tombait à verse, les balais de l'essuie-glace avaient beau aller et venir sur le pare-brise, ils n'arrivaient pas à étancher le ruissellement qui brouillait la vue. – Nous sommes deux étudiants – continuai-je d'une voix peu assurée – disons que je m'appelle Mario et toi Maria ; nous avons enfin trouvé un endroit tranquille, sous la pluie, il est vrai... mais dans la voiture on est si bien... embrasse-moi... – Et avec la promptitude de décision d'un homme ivre, j'entourai ses épaules de mon bras et tentai de l'embrasser.

Qu'espérais-je ? Je ne sais ; l'attitude d'Emilia pendant le dîner devait bien me laisser pressentir ce à quoi je pouvais m'attendre. D'abord, sans mauvaise grâce et en silence, elle chercha à se dégager de mon étreinte, puis voyant que j'insistais et que, la prenant par le menton je voulais tourner son visage vers le mien, elle me repoussa durement : – Es-tu devenu fou ? Ou es-tu ivre ?

– Non, je ne suis pas ivre – balbutiai-je – donne-moi un baiser.

– Je n'en ai pas la moindre envie – répondit-elle avec ce qui était chez elle une honnête indignation et me repoussant de nouveau, elle ajouta : – Et tu t'étonnes que je te méprise… quand tu te conduis de cette manière… après ce qui s'est passé entre nous !…

– Mais je t'aime.

– Moi pas.

Je me sentais ridicule, mais avec un fond d'angoisse comme un homme conscient de s'être mis dans une situation à la fois comique et irréparable. Pourtant je n'étais pas encore disposé à m'avouer pour vaincu : – Tu m'embrasseras sinon par amour du moins par force – murmurai-je d'un ton qui voulait être mâle et brutal. Et je me jetai sur elle.

Elle n'eut pas un mot mais ouvrit brusquement la portière et je tombai en avant sur le siège vide. Elle avait sauté de la voiture et s'enfuyait sur la route, malgré la pluie qui tombait de plus en plus fort.

Un moment je restai abasourdi. Puis je me dis : « Je suis un imbécile » et à mon tour je sortis de la voiture.

Il pleuvait à torrents et en mettant pied à terre je me sentis enfoncer jusqu'à la cheville dans une flaque d'eau. Ce fait mit le comble à mon exaspération et je plongeai dans un abîme de désespoir. Je criai, hors de moi : – Emilia, reviens !… sois tranquille, je ne te toucherai plus…

D'un point imprécis de la nuit, pas très loin cependant, je l'entendis : – Ou tu te conduiras autrement ou je rentre à pied.

– Allons, viens – dis-je d'une voix tremblante – je promets tout ce que tu voudras.

La pluie tombait toujours, elle entrait par le col de mon manteau et me mouillait la nuque, je la sentais ruisseler sur mon front et mes tempes. Les phares de l'auto n'éclairaient qu'un espace restreint de la route, avec une ruine romaine tronquée et un grand cyprès dont la pointe frissonnait dans la nuit ; mais j'avais beau écarquiller les yeux, je ne voyais pas Emilia. Désolé, j'appelai encore : – Emilia, Emilia ! – et ma voix s'éteignit dans une plainte. Elle sortit enfin de l'obscurité et je la vis dans le rayon des phares : – Tu me promets que tu ne me toucheras pas ? – fit-elle.

– Oui, je te le promets.

Elle vint reprendre sa place dans la voiture en ajoutant : – Quels enfantillages !… me voilà trempée… j'ai la tête toute mouillée… demain matin, il faudra que j'aille chez le coiffeur.

Je remontai dans la voiture et nous repartîmes aussitôt. Par deux fois Emilia éternua, d'une façon sonore et ostentatoire, pour bien me laisser entendre que je lui avais fait prendre un rhume. Mais je ne relevai pas la provocation ; je conduisais maintenant comme en rêve. Un mauvais rêve dans lequel je m'appelais Riccardo et ma femme Emilia et je l'aimais et elle ne m'aimait pas, mais au contraire me méprisait.

11

Le lendemain matin, je me réveillai tout abattu et dolent, pénétré d'avance d'un profond dégoût pour ce qui m'attendait ce jour-là et les jours suivants, quelles que soient les circonstances. Emilia dormait encore dans la chambre à coucher et moi, étendu sur le divan du salon, je m'attardai longtemps dans la pénombre, reprenant lentement et péniblement possession de la réalité que le sommeil m'avait fait oublier. Qu'avais-je à faire ? Je récapitulai : il me fallait décider si j'acceptais ou refusais le scénario de *L'Odyssée*; connaître le motif du mépris d'Emilia ; trouver le moyen de la reconquérir.

J'ai dit que je me sentais abattu, accablé, sans forces ; cette façon quasi méthodique de résumer les trois questions vitales de mon existence n'était au fond – je m'en aperçus vite – que l'illusion que je voulais me donner d'une énergie et d'une lucidité que j'étais loin de posséder. Un général, un homme politique, un homme d'affaires s'ingénient de la même manière à serrer de près les problèmes qu'ils doivent résoudre en les envisageant comme des objets concrets, maniables et inertes. Mais je n'étais pas un homme de ce genre. Et cette énergie, cette lucidité que je m'efforçais de susciter en moi, me feraient complètement défaut – j'en étais sûr – quand il me faudrait passer de la pensée à l'action.

Je n'ignorais pas mon insuffisance ; couché sur le dos, les yeux fermés, je n'étais pas dupe de ce qui se passait en moi : dès que je voulais formuler une réponse à mes trois questions, mon imagination quittait le domaine de la réalité pour s'élancer dans le ciel vide des velléités. En imagination je me voyais donc faire, comme si rien n'était, le scénario de *L'Odyssée*; je finissais par avoir une explication avec Emilia et découvrais que toute cette histoire de mépris, si terrible en apparence, était née, en réalité, d'un puéril malentendu ; et finalement je me réconciliais avec ma femme. En somme, je n'envisageais que les conclusions heureuses auxquelles j'aspirais, mais entre ces conclusions et ma situation présente s'ouvrait un abîme que je ne pouvais combler sinon par des choses n'ayant aucun caractère de solidité et de cohérence. Si j'aspirais à résoudre la situation suivant mes plus chers désirs, j'ignorais absolument comment y parvenir.

Je somnolais sans doute et au bout d'un certain temps je me rendormis tout à fait. Tout à coup je me réveillai en sursaut et j'aperçus Emilia en robe de chambre, assise au pied du divan. La pièce était encore dans l'ombre, avec les persiennes baissées ; mais une lampe était allumée sur la petite table de chevet. Emilia était entrée, avait éclairé la lampe et s'était assise à mes pieds sans que je m'en sois aperçu.

En la voyant dans une attitude familière qui me rappelait d'autres réveils des temps heureux, j'eus une fugitive illusion. Je balbutiai en me redressant : – Emilia, m'aimes-tu ?

Elle attendit avant de me répondre, puis : – Écoute – dit-elle – il faut que je te parle...

Un grand froid descendit sur moi ; je fus sur le point de lui dire que je ne voulais parler de rien, que je désirais être laissé en paix et me rendormir. Et au lieu de cela, je lui demandai : – De quoi veux-tu parler ?

– De nous.

– Mais il n'y a plus rien à dire – répliquai-je, cherchant à maîtriser l'inquiétude qui se glissait en moi – tu ne m'aimes plus... tu me méprises... et c'est tout...

– Je voulais te dire – dit-elle lentement – qu'aujourd'hui même je retourne chez ma mère. J'ai tenu à t'avertir avant de lui téléphoner... Maintenant, tu sais !

Je n'avais en effet pas prévu cette nouvelle pourtant logique et prévisible après ce qui s'était passé la veille. Mais aussi étrange que cela puisse paraître, l'idée qu'Emilia pourrait m'abandonner ne m'était pas venue à l'esprit ; je pensais qu'elle avait atteint la limite de la dureté et de la cruauté envers moi et ne saurait aller au-delà. Et voici que cette limite était soudain dépassée d'une manière totalement inattendue. Ayant peine à comprendre, je murmurai : – Tu veux me quitter ?

– Oui.

Je ne trouvai rien à répondre ; puis la douleur aiguë qui me transperçait me poussa tout à coup à agir. Je sautai en bas du divan et j'allai en pyjama à la fenêtre, comme si je voulais relever les persiennes et donner de la lumière ; mais je m'arrêtai et me retournant je criai d'une voix forte :

– Mais tu ne peux pas t'en aller comme cela, je ne le veux pas !

– Ne fais pas l'enfant – dit-elle d'un ton raisonnable – nous séparer est la seule chose qui nous reste à faire... il n'y a plus rien entre nous, du moins en ce qui me concerne... et cela vaudra mieux pour nous deux...

Je ne sais ce que je fis après ces paroles d'Emilia ou plutôt je ne me souviens que de quelques phrases, de quelques gestes. Comme en proie à une sorte de délire, je dus alors faire et dire des choses dont je n'avais aucune conscience. Je crois que je marchai à grands pas dans le salon, en pyjama, les cheveux ébouriffés, tantôt suppliant Emilia de ne pas me quitter, tantôt lui expliquant ma situation, tantôt monologuant comme si j'étais seul : le scénario de *L'Odyssée*, l'appartement, les versements à effectuer, mes ambitions théâtrales sacrifiées, mon amour pour Emilia, mes discussions avec Battista et Rheingold, tous les aspects et tous les personnages de ma vie se confondaient sur mes lèvres en un flot de paroles incohérentes, tels des morceaux de verre colorés au fond d'un kaléidoscope secoué par une main furieuse. Mais en même temps, je sentais que ce kaléidoscope n'était qu'une pauvre chose dérisoire, de simples morceaux de verre colorés, assemblés sans ordre et sans dessin et ce kaléidoscope s'était brisé et les morceaux de verre gisaient pêle-mêle à terre sous mes yeux. J'éprouvais à la fois une sensation précise d'abandon et l'épouvante de cet abandon, mais je n'allais pas au-delà, oppressé, empêché non seulement de penser, mais de respirer. Tout mon être se rebellait avec violence contre la pensée de la séparation et de la solitude qui s'ensuivrait. Mais malgré la sincérité de cette révolte, je ne trouvais pas un mot pour dissuader Emilia. De temps en temps, le nuage de perplexité et d'affolement qui m'enveloppait se dissipait et je voyais Emilia assise sur le divan, toujours à la même place, répétant calmement : – Mais, Riccardo, réfléchis un peu… c'est la seule chose que nous puissions faire.

– Je ne veux pas… je ne veux pas…

– Pourquoi refuser ? Sois logique…

Je ne sais ce que je répondis, mais je continuai à marcher et tout à coup je m'empoignais les cheveux à deux mains. Dans l'état où je me trouvais, je me sentais incapable de convaincre Emilia et même simplement de m'exprimer. Avec effort, je parvins à me dominer, revins m'asseoir sur le divan et, prostré, la tête dans mes mains, je demandai : – Et quand t'en irais-tu ?

– Aujourd'hui même.

À ces mots, elle se leva et sans plus se soucier de moi elle sortit de la pièce. Ce départ, aussi inattendu pour moi que tout ce qu'elle avait fait et dit jusqu'ici me laissa stupéfait et abasourdi. Puis, regardant autour de moi, j'eus une sensation étrange, glaçante par sa précision. L'arrachement était déjà accompli et ma solitude avait commencé. La pièce était la même que quelques minutes auparavant quand Emilia était assise sur le divan, mais déjà tout était différent, comme si une dimension manquait. L'abandon était dans l'air, dans l'aspect des choses, partout ; et, curieusement, il n'émanait pas de moi vers tout ce qui m'environnait, mais semblait venir des choses vers moi. Tout ceci, je le pensais moins que je ne le sentais obscurément, au fond de ma sensibilité troublée, douloureuse et stupéfaite. Et puis je m'aperçus que je pleurais, car ayant senti comme une démangeaison au coin de mes lèvres et y portant le doigt, je trouvai ma joue mouillée. Je poussai un profond soupir et me mis à pleurer franchement, à gros sanglots. Alors je sortis de la pièce.

Dans la chambre à coucher, dans une lumière qui, après la pénombre du salon parut éblouissante et insupportable à mes yeux brouillés par les larmes, j'aperçus Emilia assise sur le lit défait, en train de téléphoner ; je compris aussitôt qu'elle téléphonait à sa mère. L'expression perplexe et déçue de son visage me frappa. Je m'assis près d'elle et, la figure entre mes mains, je continuai à sangloter. Pourquoi pleurais-je de la sorte ? je ne le discernais pas bien ; peut-être ne pleurais-je pas seulement le désastre de ma vie, mais à cause d'une douleur plus obscure qui n'avait rien à faire avec Emilia et sa volonté de me quitter. Pendant ce temps, elle poursuivait sa conversation téléphonique. Sa mère devait s'être lancée dans un discours long et compliqué et, à travers mes larmes, je voyais passer sur sa physionomie, rapide et obscure comme l'ombre d'un nuage sur un paysage, une expression désorientée, mécontente, amère. Elle dit enfin : – Bon, bon... j'ai compris... n'en parlons plus... – À l'autre bout du fil, sa mère l'interrompit. Mais, cette fois, Emilia n'eut pas la patience d'écouter jusqu'au bout et déclara brusquement : – Tu me l'as déjà dit... c'est bon... j'ai compris... au revoir. – La mère dut ajouter quelque chose, mais tandis que sa voix continuait de résonner dans l'appareil Emilia répéta sèchement : – Au revoir – et raccrocha. Puis elle se leva, les yeux tournés vers moi, sans me regarder cependant, comme dans un rêve. Alors spontanément je pris sa main et murmurai : – Ne t'en va pas, je t'en prie... ne t'en va pas !

Les enfants et en général les femmes et les âmes faibles et puériles attachent aux larmes une valeur décisive de persuasion sentimentale. En ce moment, tout en pleurant avec une douleur sincère, je nourrissais, comme un enfant, une femme ou un être débile, je ne sais quel espoir d'attendrir Emilia par mes larmes ; et cette illusion, si elle me consolait un peu, me donnait en même temps une certaine impression d'hypocrisie. Comme si je pleurais à dessein, comme si mes larmes étaient une sorte de chantage vis-à-vis d'Emilia. Tout à coup j'eus honte de moi-même et sans attendre la réponse de ma femme, je me levai et retournai au salon. Emilia ne tarda pas à m'y rejoindre. J'avais eu le temps de me refaire une contenance, d'essuyer mes yeux et de passer une robe de chambre sur mon pyjama. Assis dans un fauteuil j'allumai machinalement une cigarette que je n'avais pas envie de fumer. Elle me dit en entrant : – Sois tranquille... n'aie pas peur... je ne m'en vais pas. – Je la regardai, elle tenait les yeux baissés et paraissait réfléchir, mais je voyais trembler les coins de sa bouche et ses mains tournaient et retournaient le bord de sa robe de chambre en un geste qui indiquait la confusion et l'égarement. Elle poursuivit sur un ton qui s'exaspérait peu à peu : – Ma mère ne veut pas de moi... elle me dit qu'elle vient de louer ma chambre à un pensionnaire ; elle en avait déjà deux, cela va faire trois et la maison est pleine... d'ailleurs elle ne prend pas ma décision au sérieux... elle me demande de réfléchir... je ne sais donc plus où aller, je suis obligée de rester avec toi !

Cette phrase si cruelle dans sa sincérité m'atteignit profondément et je crois que je tressaillis. En tout cas je ne pus m'empêcher de protester : – Mais pourquoi me parles-tu de cette façon ?... obligée de rester avec moi... que t'ai-je donc fait... pourquoi me hais-tu ?

C'était à son tour de pleurer, sans vouloir le montrer, en se cachant les yeux de la main. Elle secoua la tête : – Tu ne voulais pas que je m'en aille... eh bien ! je reste... tu devrais être content !

Je quittai mon fauteuil, vins m'asseoir à côté d'elle sur le divan et la pris dans mes bras malgré son mouvement instinctif de recul et de résistance. – Bien sûr, je veux que tu restes – dis-je – mais pas ainsi, pas contrainte et forcée... que t'ai-je fait, Emilia, pour que tu me parles comme cela ?

– Oh ! si tu veux, je m'en irai... je trouverai une chambre à louer... et tu n'auras pas à m'aider longtemps... je reprendrai mon métier de dactylo... dès que j'aurai trouvé du travail, je ne te demanderai plus rien.

– Mais non – m'écriai-je – je veux que tu restes, mais sans contrainte, Emilia, sans contrainte...

– Ce n'est pas toi qui me contrains – répliqua-t-elle en pleurant – c'est la vie.

Une fois de plus, tandis que je la tenais dans mes bras, j'eus la tentation de lui demander pourquoi elle avait cessé de m'aimer, pourquoi elle me méprisait, ce qui était arrivé et ce que je lui avais fait. Mais, peut-être par opposition à ses larmes et à son égarement, j'avais en partie recouvré mon calme. Je me dis que ce n'était pas le moment de l'interroger, que mes questions n'aboutiraient à rien et que pour savoir la vérité il serait préférable de recourir à des moyens plus persuasifs. J'attendis un peu tandis que, le visage détourné, elle continuait à pleurer en silence. Puis je dis doucement : – Allons, suspendons toute discussion, toute explication qui ne servirait qu'à nous faire du mal à l'un et à l'autre... je ne veux plus rien savoir de toi, au moins pour l'instant... écoute-moi plutôt : j'ai accepté, après tout, de faire le scénario de *L'Odyssée*... mais Battista désire que nous le fassions dans le golfe de Naples où l'on tournera la plupart des extérieurs ; aussi avons-nous décidé d'aller à Capri... là je ne t'importunerai pas, je te le jure... d'ailleurs, comment le pourrais-je ? J'aurai à travailler tout le jour avec le metteur en scène et ne te verrai qu'à l'heure des repas...

Capri est un endroit merveilleux... bientôt ce sera la saison des bains : tu te reposeras, te baigneras dans la mer, te promèneras... tu réfléchiras et, dans le calme, sans te presser, tu décideras de ta conduite à venir... après tout, ta mère n'a pas tort, il ne faut agir qu'après mûre réflexion... et puis, dans deux ou trois mois, tu me communiqueras ta décision et alors, alors seulement nous en discuterons...

Elle détournait toujours la tête comme pour éviter de me voir. Mais c'est sur un ton presque rasséréné qu'elle me demanda : – Et quand partirions-nous ?

– Tout de suite... je veux dire dans une dizaine de jours... dès que le metteur en scène sera revenu de Paris...

Je me demandais maintenant, tout en continuant à la serrer contre moi sentant contre ma poitrine la rondeur et l'élasticité de ses seins, si je pouvais me risquer à l'embrasser. En réalité, elle ne participait aucunement à mon étreinte et se contentait de la subir. Mais je me figurais que cette passivité n'était pas tout à fait indifférente et masquait peut-être quelque secrète attirance. Puis je l'entendis questionner sur un ton plus résigné que récalcitrant : – Où habiterons-nous à Capri ? À l'hôtel ?

Je répondis joyeusement car je pensais lui faire plaisir : – Non, pas à l'hôtel, c'est si ennuyeux l'hôtel... j'ai mieux que cela... Battista nous offre sa villa... elle sera à notre disposition tout le temps que durera le scénario.

J'avais à peine fini de parler que je me rendais compte, comme quelques jours auparavant quand j'avais accepté trop vite l'invitation de Battista, que, pour quelque raison personnelle, Emilia n'agréait pas ce projet. En effet, elle se dégagea aussitôt de mon étreinte et se reculant à l'autre bout du divan, elle répéta : – La villa de Battista ?... et tu as déjà accepté ?

– Je pensais que cela te ferait plaisir – plaidai-je – une villa, c'est tellement plus agréable que l'hôtel !

– Alors, tu as accepté ?

– Oui, je croyais bien faire...

– Et nous habiterons avec le metteur en scène ?

– Non, Rheingold logera à l'hôtel.

– Et Battista, viendra-t-il ?

– Battista ? – répétai-je, vaguement étonné de cette question – je crois qu'il viendra de temps en temps... en passant... un jour ou deux... en week-end... pour voir où en est notre travail...

Cette fois elle se tut, mais tirant son mouchoir de la poche de sa robe de chambre, elle se moucha. Dans ce geste sa robe s'ouvrit largement jusqu'à la taille, découvrant son ventre et ses jambes. Elle avait étroitement croisé les jambes, comme par pudeur, mais son ventre blanc, jeune et dodu, débordait un peu sur ses cuisses musclées avec une innocente abondance qui paraissait plus expressive que tout refus. Et, comme je la regardais, tandis qu'inconsciemment elle semblait s'offrir, j'éprouvai d'elle un désir violent, d'une spontanéité incomparable, qui me grisa un instant de l'espoir que je pourrais la posséder. Hélas, je compris aussitôt que malgré mon désir, je ne ferais rien ; et je me contentai de la regarder, presque furtivement, comme si j'avais honte de mes regards. Ainsi donc, me disais-je, voilà où j'en suis arrivé : à regarder à la dérobée la nudité de ma femme, avec l'attrait du fruit défendu, comme le garçon qui épie par une fente ce qui se passe à l'intérieur d'une cabine de bains ! Dans un mouvement de colère, je tirai la robe de chambre sur les jambes découvertes. Emilia ne parut pas s'apercevoir de mon geste, mais remettant son mouchoir dans sa poche, elle dit d'une voix redevenue tranquille : – Je veux bien aller à Capri, mais à une condition...

– Ne parle pas de conditions, je ne veux rien savoir – criai-je tout à coup, perdant patience – nous partirons, c'est entendu... mais je ne veux rien savoir... et maintenant va-t'en, va-t'en... – Il devait y avoir dans ma voix je ne sais quelle fureur, car elle se leva brusquement, presque effrayée, et sortit en hâte de la pièce.

12

Et ce fut le jour du départ pour Capri. Battista avait décidé de nous accompagner à l'île, pour nous faire, ainsi qu'il le disait lui-même, les honneurs de la maison. En descendant dans la rue, nous trouvâmes derrière ma petite voiture utilitaire la puissante auto rouge, hors série, du producteur. Nous étions aux premiers jours de juin, mais le temps était encore incertain et brumeux et le vent soufflait. Battista, en veste de cuir et pantalon de flanelle, était debout près de sa voiture, parlant avec Rheingold. Celui-ci s'était vêtu légèrement pour la circonstance, en bon Allemand qui considère l'Italie comme le pays du soleil et il portait un costume de toile rayée d'allure coloniale avec une casquette blanche. Emilia et moi sortîmes de la maison suivis du concierge et de la domestique qui portaient nos valises ; aussitôt nos deux compagnons vinrent à notre rencontre.

– Alors – demanda Battista, après les salutations d'usage – comment nous mettons-nous ? – Et, sans attendre la réponse : – Je propose que Madame vienne avec moi dans ma voiture, et Rheingold dans la vôtre, Molteni... cela vous permettra de parler du film pendant le trajet, car – ajouta-t-il avec un sourire mais sur un ton sérieux : – c'est aujourd'hui que commence le vrai travail… je veux avoir le scénario en main dans deux mois…

Je regardai Emilia presque machinalement et je remarquai sur son visage cette espèce de décomposition des traits que j'avais observée d'autres fois et qui signifiait chez elle perplexité et mécontentement. Mais je n'y attachai pas d'importance ni n'établis aucun lien entre l'expression de sa physionomie et la proposition, d'ailleurs raisonnable, de Battista.

– Parfait… – dis-je en m'efforçant de paraître gai, comme les circonstances de ce départ au bord de la mer semblaient l'exiger – parfait… Emilia va aller avec vous et Rheingold avec moi… mais je ne promets pas de parler du scénario…

– Je crains la vitesse – intervint Emilia – et avec cette voiture, Monsieur, vous conduisez très vite… – Mais Battista la prit impétueusement par le bras en s'écriant : – Mais il n'y a pas lieu d'avoir peur avec moi… et puis de quoi avez-vous peur ? Je tiens à ma peau, moi aussi ! – et tout en parlant il l'entraînait vers la voiture. Je vis Emilia me regarder d'un air interrogateur et éperdu et je me demandai si je ne devrais pas la garder avec moi. Mais je pensai que Battista pourrait s'en formaliser ; il avait la passion de l'automobile et, à dire vrai, conduisait admirablement ; je me tus donc. Emilia objecta encore, timidement : – J'aurais préféré aller dans la voiture de mon mari – et Battista protesta, en plaisantant : – Votre mari… qu'est-ce que c'est que ce mari ?… mais vous êtes tout le jour avec votre mari… allons, venez, ou vous allez me fâcher. – Cependant ils étaient arrivés près de la voiture, Battista ouvrait la portière, Emilia s'asseyait et Battista faisait le tour du capot pour monter de l'autre côté. Je les regardais, songeur, et tressaillis à la voix de Rheingold qui me demandait : – Sommes-nous prêts ? – Je me secouai, montai à mon tour et mis le moteur en marche.

Derrière nous j'entendis le vrombissement de la voiture de Battista qui démarrait, puis il nous dépassa et s'éloigna rapidement par l'étroite rue en pente. J'eus tout juste le temps d'apercevoir par la vitre arrière Emilia et Battista assis l'un à côté de l'autre ; puis, à un tournant, l'auto disparut.

Battista nous avait recommandé de parler du scénario pendant le trajet. Recommandation superflue. Nous avions traversé la ville dans toute sa longueur à la vitesse modérée que me consentait ma petite voiture et je débouchais sur la route de Formio quand Rheingold, qui s'était tu jusqu'alors, commença : – Dites-moi franchement, Molteni, l'autre jour, chez Battista vous sembliez craindre de devoir faire un film *kolossal* – il souligna d'un sourire l'expression allemande.

– J'ai toujours la même crainte – répondis-je distraitement – étant donné l'atmosphère qui règne aujourd'hui dans les studios italiens.

– Eh bien ! vous n'avez rien à craindre – dit-il d'un ton devenu tout à coup dur et autoritaire – nous ferons un film psychologique et uniquement psychologique... comme je vous l'ai déjà dit... mon cher Molteni, je n'ai pas l'habitude de me plier aux volontés des producteurs... je fais ce que je veux, moi... à la scène, c'est moi le maître et personne d'autre... sinon je ne fais pas le film, c'est bien simple !

C'était très simple en effet et je le dis d'un ton sincèrement enjoué car cette affirmation d'autonomie me laissait espérer un accord possible avec Rheingold pour faire un travail moins fastidieux que d'habitude. Après un moment de silence, Rheingold reprit : – Je voudrais maintenant vous exposer quelques-unes de mes idées... je suppose que vous êtes capable de conduire en même temps que vous m'écoutez ?

– Bien entendu ! – dis-je, mais à la minute où je me tournais à demi vers Rheingold, une charrette traînée par des bœufs déboucha d'un chemin de traverse et je dus donner un violent coup de volant. La voiture chassa de côté, décrivit un brusque zigzag et non sans peine, évitant un arbre de justesse, je la redressai à temps. Rheingold se mit à rire : – On ne le dirait guère !!

– Ne faites pas attention – dis-je un peu vexé – je ne pouvais absolument pas voir ces bœufs... mais vous pouvez parler, je vous écoute.

Rheingold ne se fit pas prier : – Voyez-vous, Molteni, j'ai accepté d'aller à Capri... nous tournerons effectivement les extérieurs du film dans le golfe de Naples, mais ce ne sera que le décor ; pour le reste, nous pouvions fort bien rester à Rome... le drame d'Ulysse n'est pas en effet le drame d'un marin, d'un explorateur ou d'un exilé, c'est le drame d'un homme... le mythe d'Ulysse préfigure l'histoire d'un certain type d'homme.

– Tous les mythes grecs ne sont que la représentation des drames humains sans lieu ni temps, éternels... – déclarai-je au hasard.

– Très juste... en d'autres termes, les mythes grecs sont des allégories de la vie humaine... maintenant, que devons-nous faire, nous autres modernes, pour ressusciter ces mythes si antiques et si obscurs ? Avant tout, trouver le sens qu'ils peuvent avoir pour nous, hommes d'aujourd'hui, et puis approfondir ce sens, l'interpréter, l'illustrer... mais d'une façon vivante, personnelle, sans nous laisser écraser par les chefs-d'œuvre que la littérature grecque a tirés de ces mythes... prenons un exemple : vous connaissez sans doute *Le deuil sied à Électre* de O'Neill, dont on a fait un film ?

– Oui, je connais.

– Eh bien, O'Neill avait compris lui aussi cette vérité apparemment simple qu'il faut interpréter les mythes antiques, *L'Orestie* en l'occurrence, de manière moderne… pourtant, je n'aime pas *Le deuil sied à Électre* et savez-vous pourquoi ? Parce que O'Neill s'est laissé intimider par Eschyle… il a justement pensé que le mythe d'Oreste pouvait être interprété par la psychanalyse… mais intimidé par le sujet, il a fait une transcription trop littérale… comme un bon écolier qui écrit sa rédaction sur un cahier de papier rayé… et on voit les lignes, Molteni… – J'entendis Rheingold rire de son mot, content de sa critique d'O'Neill.

Nous traversions alors la campagne romaine, non loin de la mer, parmi de basses collines toutes jaunes de blé mûr, avec çà et là quelques rares arbres touffus. Battista devait avoir pris beaucoup d'avance sur nous, car, à perte de vue, la route était vide dans les lignes droites comme dans les tournants. En ce moment, Battista marchant à plus de cent à l'heure devait avoir au moins cinquante kilomètres d'avance sur nous. J'entendis la voix de Rheingold qui poursuivait : – Puisque O'Neill avait compris cette vérité que les mythes doivent être interprétés d'une façon moderne suivant les dernières découvertes de la psychologie, il ne lui fallait pas respecter par trop l'argument, mais le tourner et le retourner, l'éventrer, le rénover… il ne l'a pas fait et son *Deuil sied à Électre* est froid et ennuyeux… c'est une composition scolaire.

– Cela m'a paru assez beau.

Rheingold ne releva pas l'interruption et continua : – Nous allons faire avec *L'Odyssée* ce que O'Neill n'a pas voulu ou su faire avec *L'Orestie* : l'ouvrir comme on ouvre un corps sur la table de dissection, en examiner le mécanisme intérieur, le démonter et le remonter suivant les exigences modernes…

Je me demandais où Rheingold voulait en venir et je dis au hasard : – Le mécanisme de *L'Odyssée* est bien connu : c'est le contraste entre la nostalgie du foyer, de la famille, de la patrie et les innombrables obstacles qui empêchent un prompt retour à la terre natale, au toit familial… tout prisonnier de guerre, tout exilé retenu pour quelque motif, loin de son pays, une fois la guerre terminée, est probablement à sa façon un petit Ulysse.

Rheingold eut un rire qui ressemblait à un gloussement de poule : – Je vous attendais là… l'exilé, le prisonnier… mais non, Molteni, rien de tout cela… vous vous arrêtez aux apparences, aux faits… vu sous ce jour le film de *L'Odyssée* court vraiment le risque de n'être qu'un *kolossal* film d'aventures ainsi que le voudrait Battista… mais Battista est un producteur et il est naturel qu'il pense ainsi… alors que vous, Molteni, qui êtes un intellectuel… voyons,

Molteni, vous êtes intelligent, servez-vous de votre cerveau, cherchez à le faire travailler.

– C'est bien ce que je fais – dis-je un peu froissé – je ne fais même pas autre chose.

– Non, vous ne vous servez pas de votre intelligence. Cherchez bien, regardez de près et notez avant tout un fait : l'histoire d'Ulysse est celle de ses rapports avec sa femme.

Cette fois, je ne soufflai mot. Rheingold poursuivit : – Qu'est-ce qui nous frappe le plus dans *L'Odyssée* ? C'est la lenteur du retour d'Ulysse, le fait qu'il met dix ans à revenir chez lui... et que durant ces dix années, malgré son amour tant de fois proclamé pour Pénélope, il la trahit en réalité chaque fois que l'occasion s'en présente... Homère nous dit que Pénélope était la seule pensée d'Ulysse, la revoir son seul désir... mais devons-nous le croire, Molteni ?

– Si nous ne croyons pas à Homère – dis-je un peu goguenard – je ne vois vraiment pas à qui nous pourrons croire.

– À nous-mêmes, hommes modernes, qui savons voir à travers le mythe. Voyez-vous, après avoir lu et relu bien des fois *L'Odyssée* j'en suis arrivé à penser qu'en réalité, et peut-être sans s'en rendre compte, Ulysse ne tenait pas à revenir chez lui, ne voulait pas retrouver Pénélope... telle est ma propre conclusion, Molteni...

Je continuais à me taire. Enhardi par mon silence, Rheingold reprit : – Ulysse est en fait un homme qui appréhende de revenir auprès de sa femme, nous verrons plus tard pourquoi, et parce qu'il éprouve cette crainte, il cherche dans son subconscient à se créer des obstacles pour ne pas revenir... son fameux esprit d'aventure n'est en vérité qu'un désir inconscient de ralentir son voyage, en se dispersant en aventures qui, en effet, l'interrompent et le détournent de sa route. Ce ne sont ni Charybde et Scylla, ni Calypso et les Phéaciens, ni Polyphème et Circé, non plus que les dieux qui s'opposent au retour d'Ulysse : c'est son propre subconscient qui lui crée à mesure de bons prétextes pour rester ici un an, là deux ans, et ainsi de suite...

Voilà : c'était à cette interprétation classiquement freudienne que Rheingold voulait en venir. Je m'étonnais seulement de ne pas y avoir pensé plus tôt ; Rheingold était allemand, il avait débuté à Berlin au temps de la première vogue de Freud, il avait passé par les États-Unis où la psychanalyse était à l'honneur, il était donc naturel qu'il cherchât à en appliquer les méthodes à l'homme privé de complexes par excellence, à Ulysse.

– Très ingénieux – dis-je sèchement – mais je ne vois pas encore comment...

– Un moment, Molteni, un moment... il est donc évident, à la lumière de mon interprétation – la seule juste d'après les dernières découvertes de la psychologie moderne –, que *L'Odyssée* n'est autre chose que l'histoire intime d'une incompatibilité – pour ainsi dire – conjugale… la question de cette incompatibilité est longuement débattue et approfondie par Ulysse et finalement ce n'est qu'après dix ans de lutte contre lui-même qu'il parvient à la vaincre et à la surmonter en acceptant purement et simplement la situation qui l'avait provoquée. En d'autres termes, Ulysse, dix ans durant, se crée à lui-même tous les atermoiements possibles, s'invente tous les prétextes pour ne pas revenir au toit conjugal ; il pense même plus d'une fois à lier sa vie à celle d'une autre femme… mais finalement il parvient à se dominer et revient… Or, ce retour d'Ulysse équivaut précisément à une acceptation de la situation qui avait provoqué son départ et qui lui faisait indéfiniment repousser son retour.

– Quelle situation ? – demandai-je vraiment stupéfait cette fois – Ulysse n'est-il pas parti simplement pour participer à la guerre de Troie ?

– Apparences… apparences… – répéta Rheingold avec impatience – mais je parlerai de la situation à Ithaque avant le départ d'Ulysse pour la guerre, des Prétendants et de tout le reste quand je vous expliquerai les raisons qu'a Ulysse de ne pas revenir à Ithaque et de craindre la reprise de la vie conjugale… je voudrais cependant souligner un premier point important : *L'Odyssée* n'est pas une aventure qui s'étend à travers l'espace géographique, ainsi qu'Homère voudrait nous le faire croire… c'est au contraire le drame tout intérieur d'Ulysse et toutes les circonstances sont les symboles du subconscient d'Ulysse. Bien entendu, vous connaissez Freud, Molteni ?

– Oui, un peu.

– Eh bien ! c'est Freud qui nous servira de guide à travers ce paysage intérieur d'Ulysse et non Bérard avec ses cartes géographiques et sa philologie qui n'explique rien… au lieu de la Méditerranée, c'est l'âme d'Ulysse que nous explorerons… ou plutôt son subconscient…

Vaguement agacé, je dis avec une vivacité peut-être excessive : – Mais alors il était inutile de nous installer à Capri pour faire un drame de *boudoir*, nous pouvions aussi bien travailler dans une chambre meublée et dans un quartier moderne de Rome.

Je vis Rheingold me lancer un coup d'œil à la fois étonné et offensé et puis il éclata d'un rire désagréable comme s'il préférait tourner en plaisanterie une discussion mal engagée. – Il vaudra mieux reprendre cette conversation à Capri, dans le calme – dit-il – d'ailleurs, Molteni, vous ne pouvez pas à la fois conduire et discuter avec moi de *L'Odyssée*… donc, conduisez et, pour ma part, j'admirerai ce merveilleux paysage.

Je n'osai pas le contredire ; et pendant près d'une heure nous roulâmes en silence. Voici le territoire des anciens Marais Pontins, avec, sur notre droite, le canal lent et paresseux et à gauche la verte plaine fertilisée par l'irrigation. Voici Cisterna… et puis Terracina. Une fois passée cette ville, la route se met à côtoyer la mer, avec de l'autre côté un fond de petites montagnes rocheuses et brûlées de soleil. La mer n'était pas calme ; au-delà des dunes jaunes et brunes, elle apparaissait d'un vert trouble que l'on devinait produit par les sables du fond qu'une récente tempête avait brassés. De grosses vagues s'élevaient mollement et venaient envahir l'étroite plage de leur eau blanche qu'on eût dite savonneuse. Plus au large la mer était uniformément agitée et sa couleur verte se changeait en un bleu presque violet sur lequel le vent faisait courir capricieusement de blancs festons d'écume. Le ciel montrait le même désordre mobile et changeant : nuages blancs courant en tous sens, vastes espaces d'azur balayés par une lumière radieuse et aveuglante ; oiseaux de mer voltigeant, s'abattant sur les vagues, planant comme s'ils cherchaient à seconder de leur vol les rafales et les tourbillons du vent. Je conduisais les yeux fixés sur ce décor marin ; et tout à coup, comme pour répondre au remords que m'avait inspiré le regard étonné et offensé de Rheingold quand j'avais traité son interprétation d'Ulysse de « drame de *boudoir* », je me dis qu'après tout j'avais eu tort. Devant cette mer aux couleurs si vives, sous ce ciel lumineux, le long de cette côte déserte, il serait facile d'imaginer les noirs navires d'Ulysse se profilant au-dessus des vagues et voguant vers les terres encore vierges et inconnues de la Méditerranée. Et c'était bien une mer comme celle-ci qu'Homère avait voulu dépeindre, un ciel et un rivage semblables avec des personnages faits à l'image de cette nature dont ils avaient l'antique simplicité, l'aimable mesure. Tout était là, mais cela seul. Et voilà que de ce monde coloré et lumineux, animé par le vent, illuminé par le soleil, peuplé d'êtres subtils et audacieux, Rheingold voulait faire une sorte de cavité viscérale, informe et blême, sans soleil et sans air : le subconscient d'Ulysse. *L'Odyssée* ne serait plus la merveilleuse aventure de la découverte de la Méditerranée, en pleine enfance fantastique de l'humanité, mais le drame intérieur d'un homme moderne en proie aux contradictions d'une psychose.

En conclusion de ces réflexions, je me dis que, dans un certain sens, je n'aurais pu tomber sur un plus méchant scénario : à l'habituelle tendance du cinéma de changer en pire ce qui n'a aucun besoin d'être changé, s'ajoutait en ce cas l'obscurité spécifique, toute mécanique et abstraite, de la psychanalyse, appliquée par surcroît à une œuvre d'art aussi libre et concrète que *L'Odyssée*.

Nous passions à ce moment tout près de la mer ; au bord de la route, les rameaux verts d'une vigne vigoureuse plantée presque dans le sable et puis la grève étroite, noire des détritus de la mer et sur laquelle de rares et grosses vagues s'écroulaient de temps en temps en flots d'écume. Je freinai brusquement et dis d'un ton bref : – J'ai besoin de me dégourdir les jambes.

Nous sortîmes de la voiture et je pris un petit sentier qui, à travers la vigne, conduisait à la plage. J'expliquai à Rheingold : – Voilà huit mois que je vis enfermé, je n'ai pas vu la mer depuis le dernier été, allons un moment au bord de l'eau.

Il me suivit en silence ; peut-être était-il encore vexé et me boudait-il ? Le sentier serpentait pendant une cinquantaine de mètres à travers la vigne et s'en venait mourir sur le sable du rivage. Et maintenant au bruit mécanique et monotone du moteur succédait le fracas irrégulier et sonore, délicieux à mes oreilles, des vagues qui se chevauchaient et se brisaient en désordre. Je marchai un moment, tantôt m'aventurant sur le sable mouillé et miroitant, tantôt me retirant suivant que les vagues s'avançaient ou se retiraient. Finalement je m'arrêtai en haut d'une dune et demeurai longtemps immobile, debout, les yeux perdus vers l'horizon. Je sentais que j'avais froissé Rheingold, que c'était à moi de reprendre la conversation sur le mode courtois et qu'il attendait que je m'exécute. Et, bien que cela m'ennuyât fort d'interrompre ma contemplation extasiée, je finis par me décider : – Excusez-moi, Rheingold, je me suis peut-être mal exprimé tout à l'heure mais, à vous parler franc, votre interprétation ne m'a pas entièrement convaincu... je vous dirai pourquoi, si vous voulez.

Il répondit aussitôt avec condescendance : – Dites... dites... la discussion fait partie de notre travail, n'est-ce pas ?

– Eh bien ! – repris-je sans le regarder – je ne discute pas que L'Odyssée puisse avoir le sens que vous dites... mais la qualité distinctive des poèmes homériques et en général de l'art classique est d'envelopper les mille acceptions qui peuvent se présenter à notre esprit moderne, dans une forme que je qualifierai de profonde... je veux dire – ajoutai-je avec une nervosité subite et inexplicable – que la beauté de L'Odyssée réside justement dans cette croyance en la réalité telle qu'elle est, telle qu'elle se présente objectivement... dans cette forme qui ne se laisse ni analyser ni décomposer et qui est ce qu'elle est : à prendre ou à laisser... En d'autres termes – continuai-je sans regarder Rheingold, les yeux tournés vers la mer – le monde d'Homère est un monde réel. Homère appartenait à une civilisation qui s'est développée en accord et non en opposition avec la nature ; c'est pourquoi il croyait à la réalité du monde sensible et le voyait véritablement tel qu'il l'a représenté... je pense donc que nous devons également le prendre tel qu'il est, en y croyant littéralement, comme y a cru Homère, sans y chercher de sens caché.

Je me tus ; non que je fusse calmé, mais au contraire étrangement exaspéré par ma tentative d'explication, comme après un effort inutile. En effet la réponse de Rheingold ne se fit pas attendre, accompagnée d'un grand rire, triomphant cette fois : – Extériorisme... extériorisme... mon cher Molteni ! Comme tous les Latins vous voyez les choses de l'extérieur et ne comprenez pas que nous puissions les voir par l'intérieur... il n'y a pas de mal cependant... j'en tiens pour l'introspection, vous êtes un positif : c'est précisément pour cela que je vous ai choisi... votre nature contrebalancera la mienne... et vous verrez que notre collaboration marchera à merveille...

J'allais lui répondre et je crois que ma réponse l'aurait une fois de plus vexé, car je me sentais de nouveau très agacé par son obstination et son esprit borné, quand, derrière nous, une voix bien connue se fit entendre inopinément : – Rheingold, Molteni, que faites-vous ? Vous prenez le frais au bord de la mer ? – Je me retournai et, dans la lumière crue du matin, je vis sur une des plus hautes dunes les deux silhouettes de Battista et d'Emilia. Battista descendit rapidement vers nous en agitant la main en guise de salut. Emilia le suivait plus lentement, les yeux fixés au sol. Tout chez Battista dénotait une exubérance et une assurance plus marquées que d'habitude, alors que l'attitude d'Emilia paraissait exprimer la mauvaise humeur, le trouble et je ne sais quelle contrainte.

Assez étonné, j'interpellai Battista : – Nous vous croyions bien en avance sur nous... peut-être déjà à Formia ou plus loin encore...

Battista répondit avec désinvolture : – Nous avons pris le chemin des écoliers... j'ai voulu montrer à votre femme une de mes propriétés des environs de Rome où je fais bâtir une villa... et puis nous avons trouvé deux passages à niveau fermés... – Il se tourna vers Rheingold : – Tout va, Rheingold ?... parlé de *L'Odyssée* ?

Tout va répondit Rheingold dans le même style télégraphique, sous la visière de sa casquette de toile blanche. Visiblement l'arrivée de Battista l'importunait et il aurait préféré continuer à discuter avec moi.

– Très bien, à merveille... – et Battista nous prenant tous deux familièrement par le bras nous entraîna vers Emilia qui s'était arrêtée un peu plus loin sur la plage. – Alors – fit-il avec une galanterie qui me parut insupportable – alors, belle Madame, c'est à vous de décider, déjeunons-nous à Naples ou à Formia, choisissez...

Comme prise au dépourvu, Emilia répondit : – Décidez cela entre vous, moi, cela m'est égal.

– Mais non, c'est aux dames à décider, que diable !

– Eh bien, déjeunons à Naples, actuellement je n'ai pas faim.

– C'est entendu : à Naples… la soupe de poisson à la tomate… les orchestres qui jouent *O sole mio !*

Décidément Battista était de bonne humeur.

– À quelle heure part le bateau pour Capri ? – demanda Rheingold.

– À deux heures et demie ; il serait bon de partir – répondit Battista, et sans plus attendre il se dirigea vers la route. Rheingold le suivit marchant à côté de lui. Emilia, au contraire, ne bougea pas, paraissant en contemplation devant la mer, comme pour laisser nos deux compagnons aller de l'avant. Mais je la rejoignais à peine qu'elle me prit le bras et me dit à voix basse :

– Je vais aller maintenant dans notre voiture… tâche de ne pas me contredire…

Je fus étonné de son ton pressant : – Mais que s'est-il passé ?

– Rien, seulement Battista conduit trop vite !

Nous prîmes le sentier en silence. Comme nous arrivions sur la route devant les deux autos arrêtées, Emilia se dirigea d'un pas décidé vers la mienne.

– Eh ! – s'écria Battista – Madame Molteni ne vient pas avec moi ? – Je me retournai. Battista se tenait auprès de la portière grande ouverte de sa voiture, sur la route inondée de soleil. Rheingold, l'air incertain, restait entre les deux autos, nous regardant successivement. Calmement, sans élever la voix, Emilia déclara : – Je vais avec mon mari cette fois… nous nous retrouverons à Naples…

Je pensais que Battista n'insisterait pas. Au contraire, à mon étonnement, il se précipita vers nous : – Voyons, Madame, vous allez être pendant deux mois avec votre mari, à Capri, et moi… – ajouta-t-il en baissant la voix pour ne pas être entendu du metteur en scène – je n'ai eu que trop à Rome la compagnie de Rheingold ; je vous assure qu'il est peu divertissant ! Votre mari n'a certainement rien à objecter à ce que vous veniez avec moi, n'est-ce pas, Molteni ?

Je ne pus moins faire que de répondre, avec effort toutefois : – Absolument rien… mais Emilia me dit que vous allez trop vite !

– Je marcherai comme une limace… – promit Battista à la fois pressant et facétieux – mais, je vous en prie, ne me laissez pas seul avec Rheingold – et il ajouta en chuchotant : – Si vous saviez comme il est ennuyeux, il ne parle que de cinéma…

Je ne sais à quelle impulsion je cédai. Peut-être pensai-je qu'un prétexte aussi futile ne justifiait pas de mécontenter Battista. Sans même réfléchir : – Allons, Emilia – dis-je – tu veux bien faire plaisir à Battista… il a d'ailleurs raison… – ajoutai-je en souriant – avec Rheingold, on ne peut parler que de cinéma !

– C'est vrai – confirma Battista satisfait. Et prenant Emilia par le haut du bras, sous l'aisselle : – Allons, belle dame, ne soyez pas méchante... je vous promets d'aller au pas !

Emilia me lança un regard que sur le moment je ne sus définir, puis elle me répondit lentement : – Puisque tu le désires... – et, sur un ton subitement décidé : – Eh bien, en route ! – et elle se laissa entraîner par Battista qui continuait à la tenir par le bras comme s'il craignait qu'elle ne s'enfuît. Je restai indécis près de ma voiture, regardant s'éloigner Battista et Emilia. Elle marchait à côté de lui, trapu et plus petit qu'elle, d'un pas nonchalant, avec une allure maussade qui semblait révéler cependant une intense et mysté-rieuse sensualité. Elle me parut soudainement très belle ; non comme la « belle dame » bourgeoise que suggérait Battista de sa voix métallique et impatiente, mais belle d'une beauté venue du fond des âges, en harmonie avec la mer scintillante et le ciel lumi-neux contre lesquels se détachait sa haute taille. Et cette beauté avait une expression contrainte et inquiète que je ne savais à quoi attribuer. Tandis que je la contemplais, une pensée subite traversa mon esprit : « Imbécile que tu es ! peut-être voulait-elle rester seule avec toi, peut-être avait-elle envie de te parler, de s'expliquer une bonne fois, de se confier... peut-être voulait-elle te dire qu'elle t'aime... et tu l'as obligée à aller avec Battista ! » J'éprouvai un regret amer et levai le bras comme pour l'appeler. Mais il était trop tard, elle était déjà montée dans l'auto de Battista, celui-ci s'instal-lait à son tour et Rheingold s'avançait vers moi. Nous montâmes tous deux dans ma voiture. Au même moment l'auto de Battista nous dépassa, rapetissa à notre vue et disparut dans le lointain.

Sans doute Rheingold se rendit-il compte du violent accès de mauvaise humeur qui m'avait saisi, car au lieu de reprendre, comme je le craignais, sa dissertation sur *L'Odyssée*, il rabaissa sa casquette sur ses yeux, se pelotonna sur son siège et ne tarda pas à s'assoupir. Je conduisis donc en silence, poussant au maximum la vitesse de ma pauvre petite voiture, et ce faisant ma mauvaise humeur augmentait et devenait incontrôlable et exaspérée. La route s'était éloignée de la mer et traversait alors une campagne luxuriante et dorée par le soleil. En d'autres circonstances quel enchantement m'auraient donné ces arbres drus qui parfois for-maient au-dessus de ma tête comme une voûte de feuillage, ces oli-viers gris dispersés à perte de vue sur les collines rousses, ces bosquets d'orangers, aux feuilles lustrées et sombres à travers les-quelles resplendissait l'or des fruits, ces vieilles fermes noircies par les ans, gardées par deux ou trois meules blondes ! Mais je ne voyais rien, je conduisais et mon irritation grandissait à mesure que passait le temps. Je ne cherchais pas à en définir la cause qui dépassait certainement le simple remords de n'avoir pas insisté pour garder Emilia auprès de moi. D'ailleurs aurais-je voulu m'analyser que mon esprit troublé par l'énervement n'en eût pas été capable. Comme une convulsion nerveuse irrésistible qui dure un certain temps, puis s'atténue par phases successives et cesse en laissant le malade tout endolori et abattu, ma mauvaise humeur atteignit à son comble tandis que nous traversions champs, bois, plaines et montagnes puis diminua et finalement s'évanouit entièrement à notre arrivée à Naples. Nous descendions rapidement de la colline vers la mer, parmi les pins et les magnolias, le golfe bleu pour toile de fond et je me sentais tout dolent et épuisé comme un épileptique qu'a brisé, âme et corps, une convulsion violente et irrésistible.

13

Comme nous l'apprîmes à notre arrivée à Capri, la villa de Battista se trouvait loin de l'agglomération, sur un coin désert de la côte, en vue de la presqu'île de Sorrente. Après avoir accompagné Rheingold à son hôtel, Battista, Emilia et moi nous engageâmes sur la petite route qui devait nous conduire à la villa.

Notre chemin empruntait tout d'abord la promenade abritée qui fait à mi-côte le tour de l'île. Le crépuscule était proche et à l'ombre des lauriers-roses en fleur, sur le sol pavé de briques, entre les murs des jardins exubérants, de rares personnes passaient lentement et silencieusement. Çà et là, entre les pins et les caroubiers, on entrevoyait la mer lointaine, d'un bleu dur et précieux que frappaient les lueurs scintillantes et froides du soleil couchant. Je marchais derrière Battista et Emilia, m'arrêtant de temps en temps pour admirer la beauté du paysage et, pour la première fois depuis longtemps, je me sentais avec étonnement sinon heureux, du moins calme et détendu. Nous parcourûmes la promenade dans toute sa longueur, puis nous prîmes un sentier plus étroit. Soudain, à un tournant, nous apparurent les Faraglioni et je fus content d'entendre Emilia pousser un cri de surprise et d'admiration. C'était la première fois qu'elle venait à Capri et jusqu'ici elle n'avait pas ouvert la bouche. De la hauteur où nous étions, les deux grands rochers rouges surprenaient par leur étrangeté, semblables, sur la surface de la mer, à deux aérolithes tombés du ciel sur un miroir. Exalté par ce spectacle, je racontai à Emilia qu'on trouve sur les Faraglioni une espèce de lézards qui n'existe nulle part ailleurs : des lézards bleus à force de vivre entre l'azur du ciel et le bleu de la mer. Elle m'écouta avec intérêt comme si elle oubliait un moment son hostilité à mon égard. Et moi, je ne pus m'empêcher de caresser l'espoir d'une réconciliation ; dans ma pensée, ce lézard bleu que je décrivais niché dans les anfractuosités des deux rochers devenait le symbole de ce que nous pourrions être nous-mêmes si nous demeurions longtemps dans cette île : notre âme se revêtant d'azur, dans la sérénité de ce séjour marin, après s'être peu à peu lavée des noirceurs de nos tristes pensées de la ville, notre âme d'azur, rayonnant d'un azur intérieur, à l'image de ces lézards, de la mer, du ciel, de tout ce qui est clarté, pureté et joie.

Après les Faraglioni, notre sentier serpenta le long de pentes dénudées sans habitations ni jardins. Enfin, dans un coin solitaire, nous apparut une longue et basse construction blanche qui étendait sa grande terrasse au-dessus de la mer : la villa de Battista.

La maison n'était pas vaste : outre le living-room qui s'ouvrait sur la terrasse, il n'y avait que trois autres pièces. Battista qui nous précédait, jouant son rôle de propriétaire avec une certaine ostentation, nous expliqua qu'il n'avait jamais habité cette villa qu'il possédait depuis un an à peine et que lui avait laissée un de ses débiteurs en paiement partiel d'une dette. Il nous fit remarquer que tout avait été prévu pour notre arrivée : des fleurs dans les vases du salon, le carrelage reluisant d'où montait une puissante odeur de cire et, comme nous approchions de la cuisine, la femme du gardien affairée à ses fourneaux, en train de préparer le dîner. Battista qui semblait prendre à cœur de nous montrer toutes les commodités de la villa voulut nous la faire visiter jusque dans les moindres détails et poussa l'amabilité jusqu'à ouvrir les armoires, demandant à Emilia s'il y avait assez de portemanteaux. Puis nous revînmes au salon. Emilia prétexta qu'elle voulait se changer et sortit. J'aurais voulu en faire autant, mais Battista m'en empêcha en s'asseyant dans un fauteuil et m'invitant à l'imiter. Il alluma une cigarette et, sans préambule, d'une façon inattendue : – Dites-moi, Molteni – me demanda-t-il – que pensez-vous de Rheingold ?

Je répondis un peu surpris : – Je ne sais... je ne le connais pas assez pour porter un jugement... j'ai l'impression que c'est un homme très sérieux... il passe pour un excellent metteur en scène...

Battista réfléchit un moment, puis : – Voyez-vous, Molteni, moi aussi je le connais peu, mais je sais plus ou moins ce qu'il pense et ce qu'il veut... avant tout, n'est-ce pas, c'est un Allemand ! Et nous deux, au contraire, nous sommes italiens : ce sont deux mondes, deux conceptions de la vie, deux sensibilités !

Je ne dis rien ; comme à son ordinaire, Battista prenait les choses de loin en dehors de toute question matérielle et j'attendais de voir où il voulait en venir. Il reprit : – Si j'ai voulu vous mettre vous, Italien, auprès de Rheingold, c'est que justement je le sens très différent de nous… J'ai toute confiance en vous, Molteni, et avant de m'en aller, car malheureusement je dois partir au plus vite, je tiens à vous faire quelques recommandations.

– Je vous écoute – dis-je froidement.

– J'ai observé Rheingold pendant nos discussions sur le film : ou bien il me donne raison, ou bien il se tait… mais j'ai trop l'expérience des hommes pour croire à une telle attitude ; vous autres, intellectuels, tous, Molteni, tous sans exception, vous pensez plus ou moins que les producteurs ne sont que des hommes d'affaires et rien d'autre… ne me donnez pas de démenti, Molteni, c'est votre avis et c'est aussi celui de Rheingold… or c'est vrai jusqu'à un certain point… Rheingold pense peut-être m'endormir par son attitude passive, mais j'ai l'œil bien ouvert, Molteni, bien ouvert… !

– En somme – fis-je brutalement – vous n'avez pas confiance en Rheingold ?

– J'ai confiance, oui et non… je me fie à lui en tant que technicien, homme de métier… mais pas en tant qu'Allemand, appartenant à un monde différent du nôtre… or – et Battista posa sa cigarette sur le cendrier et me regarda dans les yeux : – qu'il soit bien entendu, Molteni, que je veux un film s'approchant le plus possible de *L'Odyssée* d'Homère. Quelle idée a guidé Homère dans *L'Odyssée* ? Il a voulu raconter des aventures qui tiennent sans cesse le lecteur en suspens, une histoire, disons… spectaculaire… voilà ce qu'il a voulu faire, Homère… et je veux que vous restiez fidèle à cette conception… Dans *L'Odyssée* Homère nous montre des géants, des prodiges, des tempêtes, des mages, des monstres et je veux que vous nous montriez des géants, des prodiges, des tempêtes, des mages et des monstres…

– Mais nous vous les montrerons – dis-je assez interloqué.

– Vous les montrerez… vous les montrerez… répéta Battista et avec une véhémence soudaine : – Vous me prenez peut-être pour un imbécile, Molteni, mais je ne suis pas un imbécile… – il avait élevé la voix et me fixait d'un regard furieux. Cette impatience subite m'étonna fort et plus encore la vitalité de Battista qui, après avoir conduit tout le jour, avoir traversé de Naples à Capri, avait encore envie de discuter des intentions de Rheingold au lieu de se reposer comme je l'aurais fait à sa place. – Qu'est-ce qui vous fait penser que je vous prends pour… pour un imbécile ? – dis-je mollement.

– Votre attitude à tous deux…

– Expliquez-vous.

Un peu calmé, Battista reprit sa cigarette et poursuivit : – Vous souvenez-vous du jour où vous avez rencontré Rheingold pour la première fois dans mon bureau… vous m'avez dit alors, n'est-il pas vrai, que vous ne vous sentiez pas taillé pour faire un film spectaculaire ?

– Oui, il me semble.

– Et que vous a dit Rheingold pour vous rassurer ?

– Je ne me souviens pas bien…

– Je vais vous rafraîchir la mémoire… Rheingold vous a dit de ne pas vous tourmenter car il entendait faire un film psychologique, un film sur la vie conjugale d'Ulysse et de Pénélope, n'est-ce pas ?

Mon étonnement grandit : sous ce masque de brute, Battista était plus fin que je ne le croyais : – Oui – répondis-je – je crois qu'il m'a dit quelque chose de ce genre…

– Eh bien ! puisque le scénario n'est pas encore commencé, que rien n'est encore fait, il est bon que je vous avertisse, le plus sérieusement du monde. Pour moi, *L'Odyssée* est autre chose que les difficultés conjugales d'Ulysse et de Pénélope.

Je me tus et Battista après une pause reprit : – Quand je veux faire un film sur la vie intime d'un mari et d'une femme, je prends un roman moderne, je ne quitte pas Rome, je tourne dans des chambres à coucher et des salons et je ne vais pas déranger Homère et *L'Odyssée*… vous avez saisi, Molteni ?

– Oui, oui… j'ai compris.

– Les rapports entre mari et femme ne m'intéressent pas, vous comprenez, Molteni !… *L'Odyssée*, pour moi, c'est l'histoire des aventures d'Ulysse durant son voyage de retour à Ithaque et le film que je veux c'est celui des aventures d'Ulysse… je vous le dis clairement pour qu'il n'y ait aucun doute possible, je veux un film spectaculaire, spec-ta-cu-laire, vous entendez, Molteni ?

– C'est entendu – dis-je un peu ennuyé – vous aurez un film spectaculaire.

Battista jeta sa cigarette et continua d'un ton normal : – J'y compte… après tout, c'est moi qui paie… comprenez, Molteni, que je vous ai parlé ainsi pour éviter toute équivoque. Vous allez commencer à travailler demain matin, j'ai voulu vous avertir à temps, dans votre propre intérêt. J'ai confiance en vous et veux que vous soyez mon interprète auprès de Rheingold. Chaque fois qu'il en sera besoin, rappelez-lui que si l'on a aimé *L'Odyssée* et si on l'aime encore, c'est à cause de la poésie qu'elle renferme… et je tiens à ce que cette poésie tout entière passe dans mon film, tout entière, telle qu'elle est…

Je compris que Battista avait définitivement recouvré son calme, en effet il ne parlait plus du film spectaculaire qu'il exigeait de nous, mais de poésie. Après une brève incursion dans les bas-fonds du succès pécuniaire, nous étions donc revenus dans les zones aériennes de l'art et de l'esprit. Je dis avec un sourire forcé :

– N'ayez aucune crainte, Battista, vous aurez toute la poésie d'Homère… du moins toute la poésie que nous serons capables d'y trouver.

– Très bien, très bien… n'en parlons plus. – Et Battista se leva en s'étirant, regarda l'heure à son bracelet-montre, déclara brusquement qu'il allait se préparer pour le dîner et sortit. Je demeurai seul. Un moment auparavant je pensais moi aussi à me retirer dans ma chambre pour faire un brin de toilette avant le dîner. Mais la discussion que nous venions d'avoir m'avait excité et distrait ; je me mis à marcher de long en large, machinalement. Les paroles de Battista m'avaient fait entrevoir pour la première fois la difficulté de ce travail que j'avais accepté un peu à la légère, en n'en voyant que les avantages matériels, et maintenant il me semblait ressentir à l'avance la lassitude que je ne pourrais manquer d'éprouver quand mon scénario serait terminé. « Pourquoi tout ceci ? pensai-je. Pourquoi m'astreindre à cette besogne désagréable, aux discussions inévitables entre Battista et moi sans parler de celles qui interviendront entre Rheingold et moi, aux compromissions qui s'ensuivront fatalement, à l'amertume d'apposer ma signature au bas d'un ouvrage factice et stipendié… pourquoi tout ceci ? » Et voilà que ce séjour à Capri qui m'avait apparu plein de charmes quand je contemplais les Faraglioni du haut de notre sentier, me semblait maintenant tout empreint de l'ennui d'une tâche ingrate et douteuse : celle de concilier mes exigences d'honnête écrivain avec les exigences toutes différentes du producteur. Une fois de plus et d'une façon extrêmement précise, je sentais que Battista était l'employeur et moi l'employé et que le serviteur peut tout faire hormis désobéir à son patron ; que la ruse et l'obséquiosité mêmes par lesquelles il tente de se soustraire à l'autorité de son maître sont plus humiliantes que l'obéissance totale et, qu'en somme, en signant mon contrat, j'avais vendu mon âme à un diable aussi exigeant et mesquin que tous les diables. Battista l'avait laissé échapper dans un élan de sincérité : – C'est moi qui paie. – Je n'avais certes pas besoin d'une égale sincérité pour me dire : « C'est moi qui suis payé ! » Cette phrase sonnait toujours à mes oreilles chaque fois que je pensais au scénario. Tout à coup ces réflexions me donnèrent une sensation d'étouffement. Le désir me prit de respirer un air différent de celui que respirait Battista. J'allai à la porte-fenêtre, l'ouvris et sortis sur la terrasse.

14

La nuit était tombée et la terrasse était doucement illuminée par la clarté indirecte mais déjà intense que la lune encore invisible faisait rayonner dans le ciel. De la terrasse un petit escalier menait au chemin qui faisait le tour de l'île. J'hésitai un moment à descendre cet escalier pour aller me promener, mais il était tard et le chemin était obscur. Je décidai de rester sur la terrasse, m'accoudai à la balustrade et allumai une cigarette.

Au-dessus de moi, les rochers de l'île dessinaient leurs formes noires et aiguës contre le ciel constellé. Plus bas, dans le précipice, on devinait d'autres rochers. Le silence était profond, c'est à peine si, en tendant l'oreille, j'entendais monter de la crique le bruissement bref de la vague qui se jetait de temps en temps sur les cailloux de la grève, puis se retirait. Peut-être n'était-ce d'ailleurs qu'une illusion et n'y avait-il que la respiration calme de la mer qui se gonflait et s'étendait suivant le mouvement du flux et du reflux. L'air était immobile, sans un souffle de vent; en levant les yeux vers l'horizon, je pouvais apercevoir au loin, sur le continent, la petite lueur blanche du phare de la pointe Campanella qui tournait sans trêve, tantôt s'allumant, tantôt s'éteignant, et cette lueur à peine visible et perdue dans l'immensité de la nuit était l'unique signe de vie perceptible.

Cette nuit si calme m'apaisa aussitôt, mais j'étais trop lucide pour ne pas comprendre que toutes les beautés du monde ne pouvaient suspendre qu'un temps le cours de mes préoccupations. Et en effet, après être demeuré assez longtemps dans l'obscurité immobile et le cerveau vide, mon esprit revint malgré lui à sa pensée dominante, celle d'Emilia et cette fois, suggestionné peut-être par les discours de Battista et de Rheingold et par ce paysage si évocateur des paysages du poème homérique, j'associai confusément la pensée d'Emilia à celle du scénario de *L'Odyssée*.

Brusquement, surgi on ne sait d'où, le souvenir revint à ma mémoire d'un passage du dernier chant de *L'Odyssée* où Ulysse, pour prouver son identité, décrit minutieusement le lit conjugal. Pénélope reconnaît alors son époux, pâlit, s'évanouit à demi et enfin se jette à son cou en pleurant et en lui disant ces mots que je savais par cœur pour les avoir lus et relus tant de fois et répétés en moi-même :

Ah ! contre moi ne t'irrite pas, Ulysse
Qui en toutes circonstances et toujours t'es montré
Le plus sage des hommes. Au malheur
Nous ont condamnés les dieux qui ne voulurent point

> Que nous puissions côte à côte
> Jouir de nos vertes années en fleur
> Et qu'avec le temps, peu à peu
> L'un voie blanchir la chevelure de l'autre…

Je ne savais malheureusement pas le grec, mais je devinais que la traduction de Pindemonte n'était pas fidèle, car elle ne reproduisait rien de la beauté naturelle du texte originel. Pourtant ces vers, même dans leur expression emphatique me plaisaient particulièrement à cause du sentiment qui y transparaissait. Il m'était arrivé en les lisant de les comparer aux vers de Pétrarque dans le sonnet bien connu qui commence ainsi :

> L'Amour nous avait montré un port tranquille

et finit par le tercet :

> Et sans doute elle m'aurait répondu
> En soupirant quelque sainte parole
> Avec nos visages changés tout comme sa chevelure et la mienne.

Ce qui m'avait frappé alors, chez Homère comme chez Pétrarque, c'était le sentiment d'un amour constant et indestructible que rien ne pouvait ébranler ni refroidir, pas même le temps. Pourquoi ces vers revenaient-ils en ce moment à ma mémoire ? Je compris que ce souvenir s'était réveillé à la pensée de mes rapports avec Emilia, si différents de ceux qui unissaient Ulysse à Pénélope, Pétrarque à Laure, des rapports déjà ébranlés, non après une union longue de dizaines d'années, mais au bout de quelques mois et qui, certes, ne pouvaient nous permettre de prétendre à la consolante perspective d'une vie se terminant à deux, amants comme au premier jour, malgré « le changement de nos visages et de nos chevelures ». J'avais tant désiré pourtant que notre vie conjugale justifiât l'espoir d'un semblable avenir et je restais désorienté et épouvanté en face de la brisure, incompréhensible pour moi, qui empêchait la réalisation de mon rêve. Pourquoi ? Comme si je cherchais une réponse à ma question dans cette villa renfermant la présence de ma femme, je tournai le dos à la mer pour regarder les fenêtres.

De l'angle de la terrasse où je me trouvais, je pouvais voir de biais ce qui se passait dans le salon, sans être vu. Comme je levais les yeux, je vis que Battista et Emilia étaient tous deux dans le living-room. Emilia qui portait la même robe noire décolletée que le jour de notre première rencontre avec Battista, se tenait debout près d'un petit bar roulant et Battista, penché au-dessus du bar, préparait un mélange alcoolisé dans un grand verre de cristal. Je fus surpris de trouver à Emilia une expression peu naturelle, à la fois désinvolte et troublée, qui sentait la gêne et la tentation. Elle était debout, attendant que Battista lui tendît un verre et elle regardait autour d'elle d'un air incertain où je décelais les ravages d'une trouble inquiétude. Puis Battista ayant terminé son mélange remplit deux verres avec soin et se redressa pour en offrir un à Emilia ; elle eut un tressaillement comme si elle s'éveillait d'une distraction profonde et avança lentement la main. Mes yeux s'arrêtèrent sur elle, debout devant Battista, un peu cambrée en arrière, la main levée tenant son verre, l'autre appuyée au dossier d'un fauteuil ; et je ne pus m'empêcher de penser qu'elle paraissait s'offrir de tout son corps, tendant ses seins et son ventre sous le tissu brillant qui moulait ses formes. Rien de cette offrande d'elle-même n'apparaissait cependant sur son visage qui conservait au contraire la même expression ambiguë. Enfin, comme pour rompre un silence embarrassant, elle dit quelque chose en tournant la tête vers le fond du salon où plusieurs fauteuils étaient groupés auprès de la cheminée et, avec précaution, pour ne pas faire déborder son verre, elle se dirigea de ce côté. C'est alors qu'arriva ce qu'au fond de moi j'attendais déjà : Battista la rejoignit au milieu de la pièce, lui entoura la taille de son bras et avança son visage contre le sien. Elle protesta aussitôt, sans sévérité, mais avec une vivacité suppliante et peut-être coquette, en montrant des yeux le verre qu'elle tenait entre ses doigts. Battista se mit à rire, secoua la tête et l'attira de plus près, si brusquement que le liquide, comme elle le craignait, se renversa. Je pensai : « Il va maintenant l'embrasser sur la bouche »… mais je ne tenais pas compte du caractère de Battista, de sa brutalité. En effet il n'embrassa pas Emilia mais il saisit l'encolure de sa robe, sur l'épaule, et avec une étrange et cruelle violence il tordit l'étoffe et la tira, découvrant l'épaule nue. Alors la tête de Battista s'inclina pour y imprimer ses lèvres. Elle restait droite et immobile, comme si elle attendait avec patience que le geste de l'homme eût pris fin. Mais j'eus le temps de voir que même alors son visage et ses yeux gardaient leur expression perplexe et troublée. Puis elle regarda du côté de la fenêtre, j'eus l'impression que nos yeux se rencontraient ; elle fit un geste de dépit et tenant d'une main la bretelle de sa robe arrachée, elle quitta précipitamment la pièce. À mon tour, je m'enfonçai davantage dans l'ombre.

J'éprouvai par-dessus tout bouleversement et stupeur, ce que je venais de voir me semblait en contradiction flagrante avec ce que je savais et avais pensé jusqu'alors. Emilia qui ne m'aimait plus et qui, suivant ses propres termes, me méprisait, me trahissait donc avec Battista. Mais alors, entre nous, la situation était retournée : d'obscurément accusé, j'allais passer accusateur ; après m'être vu méprisé sans motif, je pouvais maintenant mépriser avec raison et tout le mystère de la conduite d'Emilia vis-à-vis de moi se réduisait à la plus commune des intrigues amoureuses. Peut-être la spontanéité de ces pensées sommaires et logiques, dictées par l'amour-propre plus que par autre chose, m'empêcha-t-elle sur le moment de ressentir quoi que ce soit à la découverte de l'infidélité (ou de ce qui me parut être l'infidélité d'Emilia). Mais, comme je m'approchais en chancelant de la balustrade de la terrasse, une douleur soudaine me tordit le cœur et, par réaction, je fus certain que ce que j'avais vu n'était pas, ne pouvait pas être la vérité. Évidemment Emilia s'était laissé embrasser par Battista, mais par un processus mystérieux, mes propres torts n'en existaient pas moins et je n'avais pas davantage le droit de la mépriser à mon tour. Il me semblait même, sans que je pusse me l'expliquer, que malgré ce baiser, elle conservait ce droit vis-à-vis de moi. Au fond, je me trompais : elle n'était pas infidèle ou tout au moins son infidélité n'était qu'apparente et la vérité touchant sa conduite était encore à élucider, sans tenir compte des apparences.

Je me rappelai qu'elle avait toujours montré à l'égard de Battista une aversion tenace que je trouvais inexplicable ; pas plus tard que le matin même, elle m'avait prié par deux fois de ne pas la laisser voyager seule avec le producteur. Comment une telle attitude pouvait-elle se concilier avec ce baiser ? Sans aucun doute, l'incident n'avait pas eu de précédent ; selon toute probabilité, Battista avait su cueillir l'occasion favorable qui ne s'était jamais rencontrée avant ce soir. Donc, rien n'était perdu ; je pouvais encore savoir pourquoi Emilia s'était laissé embrasser ; et, surtout, pourquoi je sentais obscurément mais indubitablement que, malgré ce baiser, rien n'était changé entre nous, qu'elle conservait comme auparavant, autant qu'auparavant, le droit de me refuser son amour et de me mépriser.

On dira que le moment n'était guère choisi pour me livrer à de telles réflexions et que mon premier, mon unique mouvement aurait dû être de faire irruption dans le salon, pour la confusion des deux amants ; mais j'avais depuis trop longtemps pris l'habitude de réfléchir à la conduite d'Emilia vis-à-vis de moi pour me laisser aller à une explosion aussi naïve et soudaine. D'autre part, ce qui me tenait le plus à cœur était moins de mettre Emilia dans son tort que de faire la lumière sur notre désaccord intime. En apparaissant brusquement dans le salon, je m'interdisais définitivement toute possibilité et de savoir la vérité et de reconquérir Emilia. Il me fallait au contraire agir avec toute la prudence et la circonspection qu'exigeaient des circonstances délicates et énigmatiques.

Une autre réflexion m'arrêta sur le seuil du living-room et, celle-ci, plus égoïste : j'avais maintenant une bonne raison pour envoyer promener le scénario de *L'Odyssée*, abandonner ce travail qui me déplaisait et revenir à mon cher théâtre. Une telle réflexion avait le mérite de nous servir tous les trois, Battista, Emilia et moi. Ce baiser, en réalité, marquait le point culminant de l'équivoque dans laquelle se débattait ma vie, tant au point de vue conjugal que de mon métier. Et j'avais enfin la possibilité d'éclaircir cette équivoque une fois pour toutes. Mais il me fallait agir sans précipitation, sans soulever de scandale, avec patience.

Tout ceci passa dans mon esprit rapidement, tumultueusement, comme le tourbillon de vent qui s'engouffre dans la chambre dont la fenêtre s'est ouverte à l'improviste et qui apporte avec lui feuilles, poussière et débris de toute sorte. Et de même qu'une fois la fenêtre close, la chambre retrouve aussitôt son silence et son immobilité, ainsi mon esprit se vida et se tut d'un seul coup et je me retrouvai, anéanti, les yeux perdus dans la nuit, insensible et sans pensées. Dans cette stupeur de l'âme, j'allai, sans presque m'en rendre compte, à la porte-fenêtre, l'ouvris et entrai dans le living-room. Combien de temps étais-je resté sur la terrasse après avoir surpris Battista et Emilia ? Plus longtemps certes que je ne le croyais car je les trouvai tous deux assis à table et déjà presque au milieu de leur repas. Je remarquai qu'Emilia avait ôté la robe que Battista avait déchirée et remis celle qu'elle portait pendant le voyage. Ce détail – je ne sais pourquoi – me troubla profondément, comme une confirmation éloquente et cruelle de son infidélité.

– Nous pensions que vous étiez allé prendre un bain nocturne ! – dit gaiement Battista – où diable êtes-vous allé ?

– J'étais là, dehors – répondis-je à voix basse. Je vis Emilia lever les yeux vers moi, me regarder un instant puis baisser les yeux et j'eus la certitude qu'elle m'avait vu sur la terrasse, tandis que je les épiais et qu'elle n'ignorait pas que je savais qu'elle m'avait vu.

15

Pendant le dîner, Emilia resta silencieuse, sans aucun embarras visible, ce qui me surprit car je pensais qu'elle devait être troublée et jusqu'alors je l'avais crue incapable de dissimulation. Battista, au contraire, ne cachait pas son humeur joviale et triomphante et ne cessa de parler tout en mangeant de grand appétit et buvant peut-être plus que de raison. De quoi parla-t-il ce soir-là ? De beaucoup de choses, mais surtout, directement et indirectement, de lui-même. Le « moi » revenait agressivement sur ses lèvres avec une fréquence qui m'exaspérait ; j'étais non moins agacé par sa façon de se servir des moindres prétextes pour revenir immanquablement à sa propre personne. Je voyais bien que cette complaisance envers lui-même était due moins à la vanité qu'à un désir très masculin de se glorifier aux yeux d'Emilia et peut-être de me rabaisser ; il était convaincu d'avoir fait sa conquête et tout naturellement il se complaisait à se pavaner, se parant des plus brillantes plumes en face de la femme conquise. Il faut d'ailleurs reconnaître que Battista n'était pas sot et que tout en déployant sa vanité masculine, il continuait à avoir les pieds sur terre et disait le plus souvent des choses intéressantes. Ainsi lorsqu'à la fin du dîner, il nous raconta, avec brio mais aussi avec une grande sûreté de jugement, son récent voyage aux États-Unis et sa visite aux studios d'Hollywood. Mais là encore son ton sans réplique, avantageux et doctoral me parut insupportable ; non sans naïveté je m'imaginais qu'il devait paraître tel à Emilia à laquelle je m'obstinais à prêter les mêmes sentiments à son égard, malgré ce que je savais et avais vu. Mais une fois de plus je me trompais. Emilia n'était pas hostile à Battista, au contraire ; plus d'une fois tandis qu'il parlait je crus surprendre dans ses yeux un regard sinon charmé, du moins sérieusement intéressé et, à certains moments, empreint d'une considération admirative. Ce regard était pour moi plus déconcertant et plus amer que la vanité exubérante de Battista ; et il rappelait à ma mémoire un autre regard dont je ne pouvais me souvenir où et quand je l'avais remarqué. Tout à coup, vers la fin du repas, je me rappelai : c'était à peu près le même regard que celui que j'avais surpris, quelque temps auparavant, dans les yeux de la femme du metteur en scène Pasetti, lorsque j'avais déjeuné chez eux. Pasetti blême, insignifiant, précis, parlait et sa femme le contemplait avec des yeux extasiés où se lisaient l'amour, la soumission, l'admiration et le dévouement. Certes, Emilia n'en était pas à ce point avec Battista, mais il me semblait déjà déceler dans son regard l'ombre des sentiments que Mme Pasetti nourrissait pour son mari. Battista avait raison de pontifier, Emilia était déjà inexplicablement subjuguée à demi, bientôt elle le serait tout à fait. À cette pensée une douleur me traversa le cœur, plus aiguë que celle que j'avais éprouvée en les voyant s'embrasser. Mon visage dut s'assombrir et Battista remarqua sans doute ce changement car, après m'avoir lancé un coup d'œil scrutateur, il me demanda : – Qu'avez-vous donc, Molteni ? N'êtes-vous pas content d'être à Capri ? Quelque chose ne va pas ?

– Pourquoi ?

– Parce que… – répondit-il en se versant du vin – vous semblez triste, de mauvaise humeur…

Ainsi, il attaquait, sachant bien que c'est la meilleure manière de se défendre. Je répondis avec une promptitude qui me surprit :
– Cette humeur m'est venue pendant que je regardais la mer sur la terrasse.

Il leva les sourcils, interrogateur, et me regarda sans se troubler :
– Ah ! vraiment ? Et pourquoi ?

Je dévisageai Emilia ; elle non plus ne paraissait pas troublée. Tous deux devaient être incroyablement sûrs d'eux-mêmes. Pourtant Emilia m'avait sûrement vu et avait certainement averti Battista. Avant que j'aie pu réfléchir, ces mots jaillirent de ma bouche : – Battista, puis-je vous parler en toute sincérité ?

J'admirai qu'il restât aussi imperturbable : – En toute sincérité ? Mais, comment donc ! Avec moi, il faut toujours être sincère !

– Voyez-vous – dis-je – tandis que je regardais la mer, j'ai imaginé un moment que j'étais ici en train de travailler pour mon propre compte… comme vous le savez, j'ai l'ambition d'écrire pour le théâtre… je pensais donc être dans le coin idéal pour me consacrer à mon travail : beauté, silence, tranquillité, intimité avec ma femme, aucun souci… Et puis je me suis rappelé que dans ce cadre si beau et si inspirant, il me faudrait au contraire – excusez-moi, mais vous m'avez demandé d'être sincère – il me faudrait passer mon temps à écrire un scénario qui sera certainement une bonne chose, mais qui, au fond, n'a rien à faire avec moi… Je donnerai ce que j'ai de meilleur à Rheingold qui en fera l'usage qu'il voudra et finalement je resterai avec un chèque dans les mains… mais en ayant perdu trois ou quatre mois du temps le plus précieux et le plus créateur de ma vie… Je sais que ce sont des choses à ne pas dire, pas plus à vous qu'à tout autre producteur… mais vous avez voulu que je sois sincère… vous savez maintenant pourquoi je suis de mauvaise humeur…

Pourquoi avais-je prononcé ces paroles au lieu de celles qui me brûlaient la langue et qui concernaient Battista et ma femme ? Je n'aurais su l'expliquer ; peut-être par une lassitude subite de mes nerfs trop tendus ; peut-être parce que je pensais exprimer ainsi indirectement mon désespoir en face de l'infidélité d'Emilia que je sentais liée de manière mystérieuse à la nature de mon travail, ce travail mercenaire qui me rendait entièrement dépendant. Mais de même que Battista et Emilia n'avaient pas été intimidés par mon préambule menaçant, ils ne montrèrent aucun soulagement devant le misérable aveu de faiblesse qui le suivit. Battista me répondit gravement : – Mais je suis sûr, Molteni, que vous nous ferez un très beau scénario !

Je m'étais décidément engagé sur une mauvaise voie et je n'avais plus qu'à la poursuivre jusqu'au bout : – Je crains de ne pas m'être fait comprendre – repris-je, exaspéré – je suis un écrivain de théâtre, Battista, et non un scénariste professionnel... si beau et parfait que puisse être ce scénario, il ne sera pour moi... permettez-moi de vous le dire franchement, qu'une chose faite dans le seul but de gagner de l'argent... Or, à vingt-sept ans, on a généralement un idéal... le mien est d'écrire pour le théâtre... pourquoi ne puis-je le suivre ? Parce que le monde d'aujourd'hui est fait de telle manière que personne ne peut choisir la voie qu'il désire et doit faire au contraire ce que veulent les autres... pourquoi l'argent tient-il une telle place, dans ce que nous faisons, ce que nous sommes, ce que nous voulons devenir, dans notre métier, nos meilleures aspirations et jusque dans nos rapports avec ceux que nous aimons ?

Je m'aperçus que je m'étais échauffé et que dans ma véhémence mes yeux s'étaient remplis de larmes. J'en eus honte et maudis intérieurement mon âme sentimentale qui me poussait à faire de telles confidences à l'homme qui, quelques minutes auparavant, avait tenté avec succès de séduire ma femme. Mais Battista ne se démonta pas pour si peu : – Savez-vous, Molteni, qu'en vous entendant parler, je crois me revoir moi-même, quand j'avais votre âge...

– Ah oui, vraiment ? – balbutiai-je interloqué.

– Oui... j'étais très pauvre – poursuivit Battista en se servant de vin – et j'avais, moi aussi, des idéaux, comme vous dites... quels étaient ces idéaux ? Je ne saurais plus le dire actuellement, mais j'en avais... ou plutôt je n'avais pas tel ou tel idéal, mais l'idéal avec un grand I... Puis, je rencontrai un homme auquel je dois beaucoup, ne serait-ce que pour m'avoir appris certaines choses... – Battista fit une pause d'un air assez ridiculement solennel et je me souvins, presque malgré moi, que l'homme auquel il faisait allusion était sans doute un certain producteur de films, oublié depuis, mais célèbre dans les débuts du cinéma italien et sous les auspices de qui Battista avait effectivement commencé son heureuse carrière ; un homme qui cependant, disait-on, n'avait guère d'admirable que son aptitude à faire de l'argent. – Et – continua Battista – je tins à cet homme à peu près le même discours que celui que vous venez de me faire ce soir... Savez-vous ce qu'il me répondit ? Tant qu'on ne sait pas exactement ce qu'on veut, il est préférable d'oublier l'idéal, de le laisser de côté... et puis, dès qu'on a pris pied sur un terrain solide, il faut alors le ressortir... le premier billet de mille gagné, le voilà l'idéal... par la suite, il se développe, devient pour nous studio, théâtre, films, notre travail quotidien, en somme... voilà ce qu'il me dit... et je suivis son conseil et m'en suis bien trouvé... Vous, Molteni, vous avez le grand avantage de savoir quel est votre idéal : écrire des pièces de théâtre... eh bien ! vous en écrirez...

– J'en écrirai – ne pus-je m'empêcher de répéter, incertain et en même temps un peu consolé.

– Oui – appuya Battista – vous en écrirez si vous le voulez vraiment, même en travaillant pour de l'argent, même en faisant des scénarios pour Triomphe Films... Voulez-vous connaître le secret du succès, Molteni ?

– Quel est-il ?

– Dans la vie suivre la file comme devant le guichet des billets à la gare... notre tour arrive toujours si nous avons de la patience et si nous ne changeons pas de rang... notre tour vient car l'employé du guichet donne à chacun son billet... à chacun selon ses mérites, bien entendu... celui qui doit et peut aller loin recevra, qui sait, un billet pour l'Australie... les autres, moins ambitieux, un billet pour un voyage plus court, Capri, par exemple... – Il se mit à rire, content de son allusion ambiguë à notre voyage et ajouta : – Je vous souhaite de recevoir un billet pour une destination lointaine... l'Amérique ? Cela vous dirait ?

Je regardai Battista qui me souriait paternellement, puis je tournai les yeux vers Emilia qui souriait elle aussi, d'un sourire à peine esquissé, il est vrai, mais qui ne m'en parut pas moins sincère. Et une fois encore je me rendis compte que Battista avait su en un jour transformer l'aversion qu'elle avait pour lui en un sentiment presque sympathique. À cette pensée, je fus repris par la tristesse qui m'avait assailli quand j'avais cru voir dans le regard de ma femme l'expression de Mme Pasetti. J'ai dit tristesse et non jalousie... en réalité, j'étais extrêmement fatigué par le voyage et par tous les événements de la journée, et la lassitude se mêlait à tous mes sentiments, au plus violent même, les transformant en une mélancolie impuissante et désolée.

Le repas prit fin d'une manière inattendue. Après avoir écouté Battista avec complaisance, Emilia parut tout à coup se souvenir de moi ou plutôt de mon existence et ceci d'une façon qui confirma mon inquiétude. Comme je disais vaguement : – Nous pourrions aller sur la terrasse... la lune doit s'être levée – elle répondit sèchement : – Je n'ai pas envie de sortir... je vais me coucher... je suis lasse... – et sans plus attendre elle se leva, prit congé de nous et sortit. Battista ne parut pas surpris de ce brusque départ et même, me sembla-t-il, en parut satisfait, comme s'il y voyait un indice du trouble qu'il avait su jeter dans l'âme d'Emilia. Moi, je sentais redoubler mon anxiété. Et bien que je me sente exténué et me dise qu'il vaudrait mieux renvoyer toute explication au lendemain, je n'eus pas le courage de me retenir. Sous le prétexte que j'avais sommeil, je saluai Battista à mon tour et sortis du salon.

16

Ma chambre et celle d'Emilia avaient entre elles une porte de communication. Sans attendre, je frappai à cette porte. Emilia me dit d'entrer.

Elle était assise sur le lit, immobile, dans une attitude pensive. Mais, en me voyant, elle me demanda aussitôt, d'un ton las et exaspéré : – Que veux-tu encore de moi ?

– Rien – répondis-je avec froideur, car je me sentais maintenant tout à fait calme et lucide : – seulement te souhaiter une bonne nuit…

– Dis plutôt que tu veux savoir ce que je pense des propos que tu as tenus ce soir à Battista… Eh bien ! si tu veux le savoir, je vais te le dire : c'était parfaitement inopportun et ridicule…

Je pris une chaise et m'assis : – Pourquoi ? – demandai-je.

– Je ne te comprends pas – fit-elle en élevant la voix – vraiment, je ne te comprends pas… tu parais tenir beaucoup à faire ce scénario et puis tu vas dire au producteur que l'argent seul t'intéresse dans la question, que ce travail ne te plaît pas, que ton idéal serait d'écrire pour le théâtre… ne te rends-tu pas compte que si, ce soir, il t'a donné raison par politesse, demain il réfléchira et se gardera bien de t'employer une autre fois ? Est-il possible que tu n'arrives pas à comprendre une chose aussi simple ?

Ainsi, elle prenait l'offensive. Et bien que j'aie compris qu'elle le faisait pour cacher d'autres préoccupations plus graves, je ne pus m'empêcher de sentir dans sa voix une véritable sincérité, si offensante et humiliante fût-elle pour moi. Je m'étais promis de rester calme. Mais devant cet accent méprisant, je pris feu malgré moi : – Mais, c'est la vérité – m'écriai-je – ce travail ne me plaît pas, ne m'a jamais plu… et il n'est pas dit que je le ferai…

– Oh ! là là ! bien sûr que tu le feras ! – Jamais elle ne m'avait montré autant de mépris.

Je serrai les dents, il fallait me maîtriser : – Je ne le ferai peut-être pas – dis-je sur un ton posé – ce matin, j'en avais encore l'intention, mais après ce qui s'est passé aujourd'hui, il est probable que, demain au plus tard, j'annoncerai à Battista que je renonce à faire ce scénario…

J'avais prononcé à dessein cette phrase sibylline, avec un intime sentiment de vengeance. Emilia m'avait tant fait souffrir… c'était à mon tour de la tourmenter en faisant allusion à ce que j'avais vu par la fenêtre, sans toutefois en parler directement, avec précision. Elle me regarda fixement et demanda d'une voix calme : – Qu'est-ce qui s'est passé ?

– Tant de choses !

– Lesquelles ?

Elle insistait ; on aurait dit qu'elle voulait vraiment que je l'accuse, que je lui reproche son infidélité. Mais je fus encore évasif : – Des choses qui ont trait au film... des affaires entre Battista et moi... qui ne te regardent pas...

– Pourquoi ne veux-tu pas me les dire ?

– Parce qu'elles ne t'intéresseraient pas...

– Mais si... d'ailleurs, tu n'auras pas le courage de renoncer à ce scénario.

Je ne saisis pas si dans cette phrase elle exprimait simplement son dédain ou bien quelque espoir informulé. Je demandai, prudemment : – Pourquoi penses-tu cela ?

– Parce que je te connais... – Elle se tut un moment, puis : – C'est toujours comme cela pour tes scénarios... je t'ai tant de fois entendu affirmer que tu ne voulais pas faire tel ou tel travail et puis tu finissais par le faire... les difficultés s'aplanissent toujours dans ce genre de choses.

– Oui, mais cette fois, la difficulté ne réside pas dans le scénario.

– Où, alors ?

– En moi-même...

– C'est-à-dire ?

– Battista t'a embrassée ! – aurais-je voulu lui crier, mais je me retins ; jamais, dans nos discussions intimes, nous n'étions allés jusqu'à la vérité, nous n'avions jamais procédé que par allusions... Tant de choses auraient dû être dites avant la vérité toute nue ! Je me penchai vers elle et dis gravement : – Emilia tu sais déjà ce que je pense... je l'ai dit à table : je suis las de travailler pour les autres et voudrais enfin travailler pour mon propre compte.

– Et qui t'en empêche ?

– Toi – dis-je avec emphase et, la voyant faire un geste de protestation : – Non pas toi, directement, mais ta présence dans ma vie... notre vie commune est malheureusement ce qu'elle est... n'en parlons pas... mais tu es toujours ma femme et, je te l'ai dit souvent, je n'accepte ces travaux que pour toi... si ce n'était toi, je ne m'y astreindrais pas... En somme, tu le sais parfaitement et il est inutile que je le répète : nous avons beaucoup de dettes, il nous faut faire face à plusieurs échéances pour le paiement de l'appartement, l'auto même n'est pas entièrement payée, voilà pourquoi je fais des scénarios... cependant, aujourd'hui je veux te faire une proposition...

– Laquelle ?

Je croyais être très calme, très lucide, très raisonnable, mais en même temps un subtil malaise m'avertissait que cette pondération apparente était fausse et plus encore que fausse, absurde. Après

111

tout j'avais vu Emilia dans les bras de Battista, cela seul devait avoir une importance pour moi. Je continuai cependant : – Voilà ce que je veux te proposer : de décider toi-même si je dois faire ou non ce scénario… je te promets que si tu te décides pour la négative, demain matin j'avertirai Battista et nous partirons de Capri par le premier bateau…

Elle ne releva pas la tête, comme absorbée dans ses pensées.

– Que tu es rusé ! – dit-elle enfin.

– Pourquoi ?

– Parce que si tu le regrettes ensuite, tu pourras toujours en rejeter la faute sur moi !

– Je ne dirai rien de tel… puisque c'est moi qui te prie de décider.

Visiblement elle réfléchissait à la réponse qu'elle allait me donner. Et je compris que cette réponse serait implicitement une affirmation de son sentiment, quel qu'il fût, à mon égard. Si elle m'encourageait à faire le scénario cela signifierait qu'elle me méprisait au point de juger que rien ne s'opposait à la continuation de mon travail ; si au contraire sa réponse était négative, c'est qu'elle conserverait encore un reste de respect pour moi, et ne voudrait pas me voir travailler sous la direction de son amant. Ainsi, tout revenait indéfiniment à la même question : me méprisait-elle et pourquoi ? Elle se décida enfin : – Ce sont là des décisions qu'on ne laisse pas prendre aux autres !

– Mais je te demande de décider.

– Tu te rappelleras que tu as insisté ? – dit-elle avec une sorte de solennité.

– Oui, je ne l'oublierai pas.

– Alors, je pense que tu t'es engagé et que tu ne peux maintenant reprendre ta parole… tu me l'as d'ailleurs dit bien souvent, toi-même : Battista pourrait le prendre très mal et ne plus jamais te faire travailler… je pense donc qu'il est nécessaire pour toi de t'exécuter.

Ainsi elle me conseillait de ne faire aucun esclandre ; comme je l'avais prévu, elle me méprisait définitivement et irrévocablement. Encore incrédule, j'insistai : – Tu le penses vraiment ?

– Bien sûr !

Je ne savais plus que dire. Pourtant, je l'avertis d'un ton sévère : – Très bien… mais ne viens pas me dire ensuite que tu m'as donné ce conseil parce que tu avais deviné mon secret désir… tout comme le jour où je devais signer mon contrat… qu'il soit bien clair entre nous que, personnellement, je n'ai aucune envie de faire ce scénario…

– Ouf ! tu me fatigues !! – dit-elle en se levant pour aller vers l'armoire – je t'ai donné mon avis… tu feras ce que tu voudras…

Elle était revenue au ton méprisant : mes suppositions se confir-
maient. Et tout à coup je me sentis envahi par cette même douleur
que j'avais ressentie à Rome lorsque pour la première fois elle
m'avait clamé son aversion. – Emilia – m'écriai-je – mais pourquoi
tout ceci ? Pourquoi sommes-nous ainsi dressés l'un contre
l'autre ?

Elle avait ouvert un battant de l'armoire et se regardait dans la
glace. Distraitement elle laissa tomber : – Que veux-tu ? C'est la
vie...

Je demeurai muet, atterré, immobile. Jamais Emilia ne m'avait
parlé ainsi, avec cette indifférence absolue, ce ton conventionnel !
Mais je savais que je pouvais encore redevenir maître de la situation en lui disant que je l'avais vue dans les bras de Battista, ce
qu'elle n'ignorait pas ; qu'en lui demandant de décider à ma place
l'acceptation éventuelle du scénario, j'avais voulu la mettre à
l'épreuve – et c'était la vérité – et qu'au fond tout se résumait dans
le même problème : notre vie intime à tous deux. Je n'eus pas ce
courage, ou plutôt je n'en eus pas la force ; je me sentais las
jusqu'au fond de moi-même, sans possibilité de me reprendre. Et
je ne pus que dire presque timidement : – Que feras-tu tout le
temps de ce séjour à Capri, pendant que je travaillerai ?

– Rien de spécial... je me promènerai... je prendrai des bains...
je me brunirai au soleil... ce que tout le monde fait ici...

– Seule ?

– Oui, seule...

– Tu ne t'ennuies pas toute seule ?

– Jamais... j'ai tant de choses à penser !

– Penses-tu à moi quelquefois ?

– Naturellement, je pense aussi à toi...

– Et que penses-tu ? – Je m'étais levé, m'étais approché d'Emilia
et lui avais pris la main.

– Nous avons tant de fois abordé ce sujet... – Elle résistait à la
pression de ma main, sans se dégager pourtant.

– C'est toujours de la même façon que tu penses à moi ?

Cette fois elle se recula et dit brusquement : – Écoute, il vaut
mieux que tu ailles te coucher... il y a des choses qui te déplaisent
et je le comprends... d'autre part je ne puis que te les répéter...
quel besoin as-tu d'en reparler ?

– Parlons-en tout de même...

– Mais pourquoi ? Je serai obligée de redire ce que je t'ai déjà dit
tant de fois... ce n'est pas parce que je suis à Capri que j'ai changé
d'avis, au contraire...

– Au contraire ?... que veux-tu dire ?

– Je voulais dire – expliqua-t-elle avec un peu d'embarras – que
je n'ai pas changé... voilà tout.

– En somme, tu éprouves toujours pour moi le même sentiment, n'est-il pas vrai ?

Elle se récria d'une voix qui tout à coup sembla prête à se briser : – Mais pourquoi me torturer ainsi ? Crois-tu donc que j'aie plaisir à te dire certaines choses ?... elles me font plus de mal encore qu'à toi !

Je fus ému de la souffrance que je sentais dans sa voix. Et reprenant sa main, je lui dis : – Moi, au contraire, je ne pense que du bien de toi et j'en penserai toujours... – J'ajoutai pour qu'elle comprenne que je lui pardonnais : – quoi qu'il arrive...

Elle ne répondit pas, mais détourna les yeux. Elle semblait attendre. Mais en même temps je sentis qu'elle cherchait à libérer sa main, sournoisement, délibérément, par un mouvement obstinément hostile. Alors sur l'instant, je la lâchai, lui souhaitai une bonne nuit et retournai dans ma chambre. Avec un pincement au cœur j'entendis presque aussitôt la clé tourner dans la serrure.

17

Le lendemain, je me levai de bonne heure et sans chercher à savoir où étaient Battista et Emilia, je sortis ou plutôt m'échappai de la maison. Après avoir dormi et m'être reposé, les événements de la veille et, surtout, ma conduite m'apparaissaient dans une lumière défavorable, comme une série d'absurdités inutiles ; je voulais maintenant réfléchir dans le calme sur ce qu'il convenait de faire sans compromettre ma liberté d'action par quelque décision hâtive et irréparable.

Je quittai donc la maison, repris le chemin que j'avais parcouru la veille et me rendis à l'hôtel où logeait Rheingold. Je demandai le metteur en scène ; on me répondit qu'il était au jardin. J'y allai ; au fond d'une allée j'aperçus la fine balustrade d'un belvédère, dévorée par la lumière radieuse de la mer et du ciel sans nuages ; quelques chaises et une petite table étaient disposées face à la vue et à mon arrivée quelqu'un se leva en me saluant de la main. C'était Rheingold, habillé en officier de marine, casquette bleue à ancre dorée, veste bleue et pantalon blanc. Sur la table, un plateau avec les restes d'une collation et un sous-main avec tout ce qu'il fallait pour écrire.

Rheingold paraissait d'excellente humeur : – Eh bien ! Molteni, que dites-vous d'une matinée pareille ?

– Je dis que c'est magnifique !

– Et que diriez-vous – continua-t-il en me prenant par le bras et en s'approchant avec moi de la balustrade – que diriez-vous, Molteni, si nous laissions dormir notre travail pour aller prendre une barque et ramer tout tranquillement sur la mer, autour de l'île ? Ne serait-ce pas mieux que de travailler, beaucoup mieux ?

Je répondis sans conviction, en pensant qu'une telle promenade en compagnie de Rheingold perdrait une grande partie de son charme : – Oui, dans un sens, cela vaudrait mieux !

– Vous l'avez dit, Molteni ! – s'exclama-t-il triomphalement ; – dans un certain sens… mais, dans quel sens ? Pas dans celui où nous entendons la vie… pour nous, la vie, c'est le devoir, n'est-ce pas ? Le devoir avant tout… donc, Molteni, au travail ! – Il alla se rasseoir devant la petite table et se penchant vers moi, me regardant dans les yeux, d'un ton quelque peu solennel : – Asseyez-vous en face de moi… ce matin, nous nous contenterons de parler… j'ai beaucoup de choses à vous dire…

Je m'assis, Rheingold baissa sa visière sur ses yeux et reprit : – Vous rappelez-vous, Molteni, que pendant notre voyage de Rome à Naples, je vous ai expliqué ma façon de concevoir *L'Odyssée*… cette explication fut interrompue par l'arrivée de Battista ; puis j'ai dormi le reste du trajet et finalement je n'ai pu achever de vous développer ma pensée… vous vous rappelez ?

– Évidemment…

– Vous vous rappelez aussi que je vous avais donné la clé de *L'Odyssée* : Ulysse met dix ans à revenir chez lui parce que en réalité, dans son subconscient, il ne désire pas ce retour ?

– Parfaitement…

– Je vais vous dire maintenant pourquoi, à mon avis, Ulysse ne veut pas retourner chez lui… Rheingold prit un temps comme pour souligner l'importance de sa révélation, puis les sourcils froncés et me fixant d'un regard autoritaire : – Le subconscient d'Ulysse le pousse à ne pas revenir parce que sa vie conjugale avec Pénélope n'est pas heureuse… la voilà la raison, Molteni… et ces difficultés datent d'avant le départ d'Ulysse pour la guerre. Si Ulysse part pour la guerre, c'est même précisément parce qu'il ne se trouve pas bien chez lui et il ne s'y trouve pas bien parce qu'il est en mauvais rapports avec sa femme…

Rheingold se tut un instant mais n'en perdit pas pour autant son air autoritaire et dogmatique ; je profitai de cette pause pour tourner ma chaise afin de ne pas avoir le soleil dans les yeux. Puis il poursuivit : – Si sa vie conjugale était heureuse, Ulysse ne partirait pas pour la guerre… Ulysse n'est pas un bravache, un belliqueux… c'est un homme prudent, sage et avisé… s'il était heureux avec Pénélope, Ulysse se bornerait – et uniquement pour montrer sa solidarité avec Ménélas – à envoyer un corps expéditionnaire sous les ordres d'un de ses hommes de confiance. Or, il part ; il profite de cette occasion de la guerre pour s'en aller et, de ce fait, fuir sa femme.

– Tout à fait logique.

– Psychologique, voulez-vous dire, Molteni – corrigea Rheingold qui avait sans doute remarqué mon accent ironique – tout à fait psychologique... n'oubliez pas que tout dépend de la psychologie... sans psychologie, pas de caractères, et sans caractères, pas d'histoire. Or, quelle est la psychologie d'Ulysse et de Pénélope ? Écoutez bien : Pénélope est la femme traditionnelle de la Grèce antique, féodale et aristocratique : elle est vertueuse, noble, altière, religieuse, bonne ménagère, bonne mère et bonne épouse. Ulysse, au contraire, présente déjà les caractères de la Grèce plus avancée en civilisation, celle des sophistes et des philosophes : c'est un homme sans préjugés et, au besoin, sans scrupules, subtil, raisonneur, intelligent, irréligieux, sceptique, parfois même cynique...

– Il me semble – objectai-je – que vous poussez au noir le caractère d'Ulysse... en réalité dans *L'Odyssée*...

Rheingold m'interrompit avec impatience : – Nous n'avons pas à nous occuper de *L'Odyssée*... je veux dire que nous interprétons, que nous commentons *L'Odyssée*... n'oubliez pas que nous faisons un film, Molteni... *L'Odyssée* a déjà été écrite, mais le film est encore à faire...

J'étais réduit au silence. Il reprit : – La cause des difficultés d'Ulysse et de Pénélope doit être recherchée dans la différence de leurs deux caractères... Avant la guerre de Troie Ulysse a eu le malheur de déplaire à Pénélope... qu'a-t-il fait ? C'est là qu'interviennent les Prétendants... *L'Odyssée* nous apprend qu'ils aspirent à la main de Pénélope et, en attendant, se gobergent aux frais d'Ulysse dans sa propre maison... il faut renverser la situation...

Je le regardai bouche bée. – Vous ne comprenez pas ? – demanda Rheingold – je vais vous expliquer : les Prétendants – il sera sans doute plus commode pour nous de réduire leur nombre à un seul personnage, Antinoüs, par exemple –, les Prétendants donc étaient amoureux de Pénélope avant la guerre de Troie et en étant amoureux la comblaient de présents, suivant la coutume des Grecs. Pénélope, femme hautaine, austère, à la mode antique, voudrait refuser ces dons, elle tiendrait surtout à ce que son époux chasse les Prétendants. Mais pour un motif que nous ignorons encore et que nous trouverons facilement, Ulysse craint de déplaire aux Prétendants. En homme de bon sens, il n'attache pas grande importance à la cour que font ses rivaux car il sait sa femme fidèle ; il n'attribue pas non plus d'importance aux présents qui peut-être, au fond, ne lui sont pas tout à fait indifférents. Rappelez-vous, Molteni, que tous les Grecs étaient avides de présents.

Bien entendu, Ulysse ne conseille nullement à Pénélope de céder aux désirs de ses Prétendants, mais il l'incite à ne pas les décourager car, lui semble-t-il, cela n'en vaut pas la peine. Ulysse entend vivre en paix et déteste le scandale... Pénélope qui s'attendait à tout sauf à cette passivité de son époux est désenchantée, en croit à peine ses oreilles. Elle proteste, se révolte... Mais Ulysse ne perd pas son sang-froid et conseille de nouveau à Pénélope d'accepter les dons qui lui sont faits, de se montrer aimable... après tout, cela ne peut lui coûter grand-chose !... Et Pénélope finalement sur le conseil de son époux... mais en même temps elle conçoit pour lui un profond mépris ; elle sent qu'elle a cessé de l'aimer et le lui dit... Ulysse s'aperçoit alors, mais trop tard, que par sa trop grande prudence, il a perdu l'amour de Pénélope. Il s'efforce de réparer sa faute, de reconquérir sa femme, mais en vain... sa vie à Ithaque est devenue un enfer... Enfin, désespéré, il saisit l'occasion de la guerre de Troie pour s'en aller de chez lui. Au bout de sept ans, la guerre prend fin et Ulysse reprend la mer pour revenir à Ithaque... mais il sait qu'au foyer l'attend une femme qui ne l'aime plus, qui le méprise même... c'est pourquoi, inconsciemment, tous les prétextes lui sont bons pour remettre ce retour inquiétant et redouté. Cependant il faudra bien revenir au bout du compte. Mais voici que de retour au foyer il arrive à Ulysse la même chose qu'au Chevalier dans la légende du Dragon... Vous voyez ce que je veux dire, Molteni ? La Princesse a imposé au Chevalier de tuer le Dragon s'il veut mériter son amour, alors le Chevalier tue le Dragon, et la Princesse lui donne son cœur. Ainsi Pénélope a retrouvé Ulysse et après lui avoir prouvé sa propre fidélité lui fait comprendre que cette fidélité n'a pas été inspirée par l'amour mais seulement par la dignité. Elle ne pourra aimer de nouveau son époux qu'à une condition : qu'il tue les Prétendants... Ulysse, nous le savons, n'a rien d'un homme sanguinaire ni vindicatif, il préférerait renvoyer les Prétendants par la douceur, en usant de persuasion... pourtant, il se décide. C'est qu'il sait en effet que du meurtre des Prétendants dépend l'estime de Pénélope et partant son amour. Il massacre donc les Prétendants. Alors, mais seulement alors Pénélope cesse de le mépriser et lui rend son amour. Et Ulysse et Pénélope retrouvent leur bonheur après tant d'années de séparation et célèbrent leurs véritables noces, leur *Bluthochzeit,* leurs noces de sang. Avez-vous compris, Molteni ? Résumons-nous. Premier point : Pénélope méprise son époux parce qu'il n'a pas réagi en homme, en mari et en roi contre l'importunité des Prétendants. Secundo : ce mépris provoque le départ d'Ulysse pour la guerre de Troie. Tertio : Ulysse sachant qu'il va retrouver chez lui une femme qui le méprise, retarde inconsciemment et tant qu'il le peut son retour. Quarto :

pour reconquérir l'estime et l'amour de Pénélope, Ulysse donne la mort aux Prétendants… et voilà, Molteni, vous avez compris ?

Je répondis affirmativement. Tout cela en effet n'était pas difficile à comprendre. Mais l'antipathie que j'éprouvais depuis le début pour l'interprétation psychanalytique de Rheingold renaissait en moi plus forte que jamais et j'en étais tout perplexe et rêveur. Cependant, de plus en plus pontifiant, Rheingold continuait :
— Savez-vous ce qui m'a donné la clé de toute la situation ? C'est une simple réflexion sur le massacre des Prétendants raconté dans *L'Odyssée*. Je remarquai que ce massacre si brutal, féroce, impitoyable, est en contraste absolu avec le caractère d'Ulysse tel qu'il nous a été présenté jusqu'alors : rusé, souple, subtil, raisonneur, avisé… et je me dis : Ulysse aurait fort bien pu mettre les Prétendants à la porte, sans histoires ; il pouvait le faire, il était chez lui, il était le roi… il lui suffisait de se faire reconnaître.. s'il ne le fait pas, c'est qu'il a de bonnes raisons pour ne pas le faire… Évidemment Ulysse veut démontrer qu'il n'est pas seulement rusé, souple, subtil, raisonneur et avisé, mais aussi, quand il le faut, violent comme Ajax, emporté comme Achille, impitoyable comme Agamemnon. Et à qui veut-il le démontrer ? Sans nul doute à Pénélope : *eurêka !*

Je ne dis rien. Le raisonnement de Rheingold se tenait bien et s'accordait parfaitement avec sa tendance à transformer *L'Odyssée* en vicissitude psychologique. Mais cette tendance même éveillait en moi une répugnance profonde comme s'il s'agissait d'une profanation. Tout chez Homère est simple, pur, noble, ingénu, même l'astuce d'Ulysse, poétiquement contenue dans les limites de sa supériorité intellectuelle. Dans l'interprétation de Rheingold au contraire, tout était rabaissé au niveau d'un drame moderne moraliste et soi-disant psychologique. Cependant, Rheingold, très satisfait de son exposition, concluait : — Vous voyez, Molteni, le film est déjà fait, dans tous ses détails… il ne nous reste qu'à l'écrire !

Je l'interrompis presque avec violence : — Écoutez, Rheingold, votre interprétation ne me va pas du tout !

Il écarquilla les yeux, plus surpris, semblait-il, de ma hardiesse que de notre désaccord : — Elle ne vous va pas, mon cher Molteni ? Et pourquoi ?

Je dis avec effort mais avec une assurance grandissante à mesure que je parlais : — Votre interprétation ne me plaît pas parce qu'elle constitue une falsification complète du caractère originel d'Ulysse. *L'Odyssée* dépeint bien Ulysse comme un homme subtil et astucieux, mais toujours dans les limites de l'honneur et de la dignité… jamais il ne cesse d'être le héros, c'est-à-dire un guerrier valeureux, un roi, un époux intègre… Votre interprétation, permettez-moi de vous le dire, mon cher Rheingold, risque au contraire de le faire apparaître comme un homme sans dignité, sans honneur, sans savoir-vivre… et ceci à part le fait que vous vous éloignez par trop de *L'Odyssée*…

Tandis que je parlais, je voyais le large sourire de Rheingold se contracter, s'effacer, disparaître. Il dit avec âpreté en laissant poindre dans ses paroles l'accent germanique qu'il parvenait généralement à dissimuler : – Mon cher Molteni, vous me permettrez de vous dire que, comme d'habitude, vous n'avez rien compris !

– Comme d'habitude… – répétai-je, vexé, d'un ton ironique.

– Oui, comme d'habitude – répliqua Rheingold – et je vais tout de suite vous en dire la raison : m'écoutez-vous bien, Molteni ?

– Je vous écoute, soyez-en sûr.

– Je ne veux pas, comme vous l'insinuez, faire d'Ulysse un homme sans dignité, sans honneur ni savoir-vivre… Je veux tout simplement représenter l'homme qui apparaît réellement dans *L'Odyssée*. Qui est l'Ulysse de *L'Odyssée* ? Que représente-t-il ? Tout simplement l'homme civilisé, il personnifie la civilisation… parmi tous les autres héros qui sont justement des êtres primitifs, Ulysse est le seul qui soit civilisé… Et en quoi consiste la civilisation d'Ulysse ? Elle consiste à être sans préjugés, à se servir toujours de la raison, en toutes circonstances, même dans les questions de savoir-vivre, de dignité et d'honneur… comme vous dites… à se montrer intelligent, objectif, presque scientifique, dirais-je… Naturellement, la civilisation a ses inconvénients, elle oublie facilement, par exemple, l'importance des questions dites d'honneur, pour les gens primitifs. Pénélope, elle, n'est pas une femme civilisée, c'est une femme selon la tradition ; elle ne comprend pas le raisonnement mais seulement l'instinct, le sang, l'orgueil. Faites bien attention, Molteni, et tâchez de me comprendre : la civilisation peut apparaître et apparaît souvent aux yeux des êtres primitifs corruption, immoralité, absence de principes, cynisme… Tel était, par exemple, le reproche que Hitler, homme certes non civilisé, faisait à la civilisation… Lui aussi parlait beaucoup d'honneur… mais nous savons aujourd'hui qui était Hitler et ce que valait son honneur… En somme, dans *L'Odyssée*, Pénélope représente la barbarie et Ulysse la civilisation… Savez-vous, Molteni, qu'alors que je vous croyais civilisé comme Ulysse, vous raisonnez au contraire comme cette barbare de Pénélope !

Ces derniers mots furent prononcés avec un large et éclatant sourire, Rheingold était visiblement assez satisfait de sa trouvaille de me comparer à Pénélope. Mais cette comparaison me fut, je ne sais d'ailleurs pourquoi, particulièrement désagréable. Je me sentis même pâlir de colère et je dis d'une voix altérée : – Si vous entendez comme preuve de civilisation qu'un homme tienne la chandelle au séducteur de sa femme, eh bien, cher Molteni, je suis et je me sens un barbare !

Cette fois, à mon grand étonnement, Rheingold ne s'indigna pas : – Un moment... – dit-il en levant la main – ce matin, Molteni, vous raisonnez mal... tout à fait comme Pénélope... alors, voilà ce que nous allons faire... vous allez prendre un bain de mer et vous allez réfléchir... et puis demain matin, vous reviendrez me trouver pour me dire le résultat de vos réflexions... c'est d'accord ?

Décontenancé, je répondis : – Bon... mais il n'est guère probable que j'aie changé d'avis !

– Réfléchissez... – répéta Rheingold en se levant et me tendant la main. Je me levai à mon tour. Rheingold ajouta posément : – Je suis sûr que demain, vous me donnerez raison...

– Je ne crois pas – répondis-je. Et je m'en allai.

18

Notre entretien n'avait pas duré plus d'une heure. J'avais donc toute la journée devant moi pour « réfléchir », comme me le disait Rheingold, pour décider si j'acceptais ou non son interprétation. J'avoue que, à peine hors de l'hôtel, ma première pensée ne fut pas de réfléchir aux idées de Rheingold, mais d'en chasser le souvenir pour jouir à mon aise de la belle journée. D'autre part, dans les idées du metteur en scène, je sentais quelque chose qui dépassait mon travail de scénariste, quelque chose que je ne savais encore définir, mais que m'avait obscurément révélé ma réaction excessive. Après tout, il fallait vraiment réfléchir. Je me souvins qu'une heure auparavant, en sortant pour aller retrouver Rheingold, j'avais aperçu en dessous de la villa une petite anse solitaire ; je décidai d'y aller, j'y serais bien pour réfléchir suivant le conseil du metteur en scène et sinon, tout simplement pour m'y baigner.

Je m'acheminai donc par la promenade qui fait le tour de l'île. Il était encore tôt dans la matinée et le chemin ombragé était à peu près désert à part quelque garçon éveillant le silence du bruit doux de ses pieds nus sur les briques, un couple de jeunes filles enlacées, bavardant à voix basse, deux ou trois vieilles dames promenant leur chien.

Une fois arrivé au bout de la promenade, je pris le sentier qui serpente dans la partie la plus solitaire et la plus escarpée de l'île. Je marchai un peu puis m'arrêtai devant une bifurcation : un autre sentier plus étroit conduisait à une petite terrasse suspendue au-dessus du vide. Je pris ce sentier et, parvenu au belvédère, je regardai en dessous de moi. Cent mètres plus bas, la mer palpitait et scintillait au soleil, changeant de couleur suivant les souffles du vent, ici d'un bleu pâle, là presque violette, plus loin, tout à fait émeraude. De cette mer silencieuse, les rochers hérissés de l'île semblaient monter de l'abîme jusqu'à moi, en foule, comme des flèches avec leurs pointes nues et étincelantes de lumière. Et soudain, je ne sus pourquoi, une sorte d'exaltation m'envahit, je sentis que la vie m'était à charge et qu'en ce moment je ferais volontiers un saut dans l'immensité lumineuse, mourant ainsi d'une mort pas tout à fait indigne de la meilleure part de moi-même. Oui, je me tuerais pour atteindre dans la mort cette pureté qui m'avait manqué dans la vie.

Cette tentation du suicide était sincère et sans doute ma vie fut-elle un moment en danger. Puis, comme par instinct, je pensai à Emilia et à la façon dont elle accueillerait la nouvelle de ma mort. Et je me dis soudain : « Ce n'est pas par lassitude de la vie que tu voudrais te tuer, mais pour Emilia. » Cette réflexion tempéra mon exaltation en lui enlevant tout caractère désintéressé. « À cause d'Emilia ou pour Emilia ? me demandai-je... la distinction est importante... » et la réponse ne se fit pas attendre : « Pour Emilia, pour retrouver son estime, fût-ce d'une manière posthume... pour lui laisser le remords de m'avoir injustement méprisé. »

À peine avais-je formulé cette pensée que, comme dans ce jeu d'enfant où il faut recomposer une image avec une quantité de petits morceaux en désordre, le tableau de ma situation présente se compléta par cette autre réflexion : « Si tu as si violemment réagi aux idées de Rheingold c'est qu'en expliquant les rapports d'Ulysse et de Pénélope il t'a paru faire allusion, sans intention de sa part, à ceux qui existent entre Emilia et toi. Lorsque Rheingold parlait du mépris de Pénélope pour Ulysse, tu as pensé au mépris d'Emilia pour toi... la vérité t'a semblé insupportable et, en somme, tu as protesté contre la vérité... »

Mais le tableau n'était pas encore entièrement reconstitué ; et voici que d'autres pensées venaient le compléter, définitivement cette fois. « Tu as désiré mourir, parce que tu ne joues pas franc jeu avec toi-même... pour recouvrer l'estime d'Emilia, point n'est besoin de te tuer... il suffit de beaucoup moins... Rheingold t'a indiqué ce que tu as à faire : Ulysse, pour reconquérir l'amour de Pénélope, extermine les Prétendants... Théoriquement, tu devrais tuer Battista... mais le monde où nous vivons est moins violent et absolu que celui de *L'Odyssée*... il te suffira de renoncer au scénario que tu dois faire, de rompre toute relation avec Battista et de repartir demain matin pour Rome... Emilia t'a déconseillé de renoncer à ton scénario parce que vraisemblablement elle veut te mépriser et désire que ta conduite lui donne raison... ne tiens pas compte de ses avis... tu dois au contraire agir tout comme, d'après Rheingold, a agi Ulysse. »

C'en était fait désormais : j'avais examiné ma situation à fond, sans pitié, avec la plus complète sincérité. Je n'avais plus besoin maintenant de réfléchir comme me l'avait demandé Rheingold ; je n'avais plus qu'à revenir sur mes pas et aller annoncer au metteur en scène ma décision, irrévocable cette fois. Mais, me dis-je, avec un réflexe de prudence, justement parce que tout calcul est maintenant superflu, je ne dois pas agir à la légère, donner l'impression erronée d'un coup de tête. C'est dans le plus grand calme que j'irais dans l'après-midi trouver Rheingold et lui annoncer ma décision. C'est avec la même sérénité qu'une fois revenu à la villa je prierais Emilia de faire les valises. Quant à Battista, je ne pensais pas qu'il fût nécessaire de lui parler ; le matin, au moment de partir, je lui ferais remettre une lettre très brève attribuant ma détermination subite à une incompatibilité entre mes idées et celles de Rheingold, ce qui, au fond, était vrai. Battista était fin : il comprendrait et je ne le reverrais plus.

Absorbé dans mes pensées, j'étais revenu sur mes pas sans m'en rendre compte et j'avais machinalement parcouru le chemin jusqu'en dessous de la villa de Battista ; maintenant je descendais rapidement par un sentier abrupt et sablonneux vers la petite anse solitaire que j'avais remarquée le matin même. J'y arrivai un peu haletant et pour reprendre mon souffle, je m'arrêtai un moment, debout sur un rocher, à regarder autour de moi. La petite grève caillouteuse était enserrée entre de grosses masses de rochers qui s'étaient visiblement détachés de la falaise et avaient roulé jusqu'en bas ; deux promontoires escarpés la fermaient de chaque côté, s'érigeant au-dessus d'une eau verte et transparente que les rayons du soleil pénétraient jusqu'à illuminer les galets blancs du fond. Puis je remarquai un rocher noir, tout corrodé et perforé, à demi enfoui dans le sable et dans l'eau et j'eus envie d'aller m'étendre à son ombre pour m'abriter du soleil déjà brûlant. Mais comme j'en faisais le tour, j'aperçus, étendue sur les galets, entièrement nue, Emilia.

À vrai dire, je ne la reconnus pas sur-le-champ car son visage était caché par un grand chapeau de paille ; mon premier mouvement fut même de me retirer, en face de quelque baigneuse inconnue. Mais comme mon regard se portait sur le bras qu'elle avait allongé sur le sol et le suivait jusqu'à la main, je reconnus à l'index la bague en forme de double torsade d'opale et d'or que j'avais donnée à Emilia, quelque temps auparavant, pour son anniversaire.

J'étais en arrière d'Emilia et la voyais en raccourci. Elle était nue, comme je l'ai dit, et ses vêtements déposés à côté d'elle formaient un tout petit tas d'étoffes colorées, si petit qu'il semblait impossible que ce grand corps en eût été vêtu. Au premier regard, en effet, ce qui me frappa dans la nudité d'Emilia, ce fut non tel ou tel détail, mais l'ensemble, l'idée de grandeur et de puissance qu'évoquait ce corps. Je savais fort bien qu'Emilia n'était pas d'une taille supérieure à celle de la plupart des femmes, mais à ce moment, sa nudité m'apparaissait immense comme si la mer et le ciel lui prêtaient leur immensité. Dans cette position étendue, les seins perdaient de leur relief et de leur gonflement musclé, mais à mes yeux leur volume et leur contour paraissaient plus grands que nature, comme aussi le cercle rosé de leur mamelon ; plus grands ces flancs qui s'étalaient sur les galets dans un épanouissement voluptueux et puissant ; et le ventre qui semblait accueillir dans son orbe de chair toute la lumière du soleil ; et de même les jambes qui, plus basses que le reste du corps, à cause du sol en pente, semblaient étirées par leur propre poids et plus longues encore. D'où venait, me demandai-je, cette impression de grandeur et de puissance, si profonde et si troublante ? et je compris qu'elle surgissait de mon désir brutalement réveillé. Un désir moins physique que spirituel – malgré sa spontanéité et sa fougue – de m'unir à elle, non à son corps, dans son corps, mais à travers son corps. J'étais vraiment affamé d'elle et l'assouvissement de cette faim ne dépendait pas de moi, mais d'elle seule, de son consentement venant au-devant de mon désir. Hélas, je sentais que ce consentement, elle me le refusait, bien que par une illusion de la vue, elle semblât, dans sa nudité, s'offrir à moi.

Mais je ne pouvais rester indéfiniment à contempler ce corps défendu. Je fis un pas en avant et, clairement, dans le silence, j'appelai : – Emilia ! – Elle eut un mouvement rapide en deux temps : d'abord elle rejeta son chapeau et étendit la main pour saisir sa blouse sur le tas de vêtements afin de s'en couvrir ; puis elle s'assit et tourna la tête pour regarder derrière elle. Mais comme j'ajoutais : – C'est moi, Riccardo ! – elle me vit et laissa retomber son corsage. Ainsi, pensai-je, elle avait eu peur de se trouver en présence d'un étranger, mais ayant vu qu'il s'agissait de moi, elle avait jugé inutile de se couvrir, comme devant une personne qui, virtuellement, n'existe pas. Je rapporte cette pensée, absurde au fond, pour montrer exactement mon état d'âme du moment. L'idée ne m'effleura pas que si elle n'éprouvait pas le besoin de se cacher, c'est que j'étais son mari et non un étranger. J'étais si convaincu de ne pas exister pour elle, du moins au point de vue amoureux, que j'interprétai naturellement son geste ambigu comme une preuve de plus de mon néant. Je dis à voix basse : – Il y a cinq minutes au moins que je te regarde… et sais-tu qu'il me semble te voir pour la première fois ?

Elle ne me répondit rien mais se tourna davantage pour me voir plus commodément et assujettit sur son nez ses lunettes noires d'un geste machinal de curiosité. – Vois-tu quelque inconvénient à ce que je reste ici ou préfères-tu que je m'en aille ?

Elle me considéra, puis, calmement, se remit sur le dos en me disant : – Reste, si cela te fait plaisir… pourvu que tu ne m'ôtes pas mon soleil !

Donc, elle me considérait bien comme inexistant, simple corps opaque pouvant s'interposer entre le rayon de soleil et son corps nu, ce corps qui, au contraire, aurait dû se sentir lié au mien et le manifester de quelque manière, fût-ce la pudeur ou la crainte. Cette indifférence me déconcerta douloureusement, ma bouche se dessécha dans une aridité soudaine et je sentis que mon visage prenait malgré moi une expression incertaine, égarée, péniblement et faussement désinvolte. – On est bien ici – dis-je – je vais, moi aussi, prendre le soleil – et pour me donner une contenance je m'assis à quelques pas d'elle, le dos appuyé à un rocher. Le silence s'étendit entre nous. Des ondes et des ondes de lumière dorée doucement ardentes et éblouissantes m'envahissaient et je ne pus m'empêcher de fermer les yeux dans une profonde sensation de bien-être et de calme. Pourtant je n'arrivais pas à me persuader que j'étais là pour prendre un bain de soleil, sentant bien que je ne pourrais le goûter pleinement que si Emilia m'aimait. Et je dis, pensant tout haut : – Ce coin du monde semble fait pour les amoureux…

– Tout à fait – répondit-elle, sa voix un peu étouffée par le chapeau de paille qui lui couvrait le visage.

– Mais pas pour nous qui ne nous aimons plus…

Elle ne répondit pas et je demeurai les yeux fixés sur elle, sentant à cette vue renaître tout le désir qui m'avait bouleversé lorsque, débouchant à travers les rochers, je l'avais aperçue pour la première fois.

Les sentiments intenses ont ceci de bon qu'ils nous font passer à l'action en toute spontanéité, sans le concours de notre volonté, presque inconsciemment. Tout à coup, sans que je susse comment cela s'était fait, je me retrouvai non plus assis à l'écart, le dos contre le roc, mais à genoux auprès d'Emilia endormie et immobile, penchant mon visage au-dessus du sien. Je ne sais comment j'avais déjà enlevé le large chapeau qui couvrait ses traits et comme je m'inclinais pour l'embrasser je regardai sa bouche comme on regarde le fruit dans lequel on va mordre. Elle avait une grande bouche charnue ; les lèvres fardées semblaient sèches et crevassées comme si, outre le soleil, une ardeur intérieure les avait desséchées. Je pensais que cette bouche n'avait pas touché la mienne depuis longtemps et que la saveur de ce baiser, si, dans sa somnolence, elle me le rendait, serait pour moi aussi enivrante que la plus forte des liqueurs. Je crois que pendant une minute au moins je contemplai cette bouche, puis tout doucement, j'approchai mes lèvres. Mais je ne l'embrassai pas encore, m'attardant à sentir ma bouche si proche de la sienne. Je sentais le souffle calme et léger qui sortait de ses narines et aussi, me semblait-il, la chaleur de ses lèvres brûlantes. J'imaginais au-delà de ces lèvres, à l'intérieur de la bouche, la fraîcheur de la salive pareille à une neige glacée au fond d'une terre brûlée par le soleil, aussi surprenante, aussi rafraîchissante que cette neige. Et tandis qu'à l'avance je savourais cette fraîcheur, mes lèvres rencontrèrent enfin celles d'Emilia. Ce contact ne parut pas l'éveiller ni la surprendre. J'appuyai mes lèvres doucement d'abord, puis plus fort et la voyant rester immobile, je risquai un baiser plus profond. Cette fois, je sentis, suivant mon désir, sa bouche s'ouvrir lentement, telle une coquille dont les valves s'écartent sur la palpitation d'un animal vivant, baigné de fraîche eau marine. Elle s'entrouvrait, s'entrouvrait, les lèvres découvrant les gencives et en même temps je sentais un bras entourer mon cou.

Je tressaillis violemment et me réveillai de ce qui était évidemment un assoupissement provoqué par le silence et la chaleur du soleil. À quelques pas de moi, Emilia était toujours étendue sur les galets, le visage entièrement caché par son chapeau de paille. Je compris que j'avais rêvé ce baiser, ou plutôt que je l'avais vécu dans cet état de nostalgie délirante qui paraissait continuellement substituer une attrayante chimère à la désespérante réalité. Je l'avais embrassée et elle m'avait rendu mon baiser, mais cette étreinte avait été celle de deux fantômes suscités par le désir, dissociés de nos deux personnes immobiles et lointaines. Mon regard enveloppa Emilia. « Et si maintenant, je tentais vraiment de l'embrasser ? » me dis-je. Et je me répondis aussitôt : « Tu n'en feras rien, paralysé que tu es par ta timidité et la conscience de son mépris pour toi. » Brusquement, je l'appelai d'une voix forte : – Emilia !

– Qu'y a-t-il ?

– Je me suis endormi et j'ai rêvé que je t'embrassais…

Elle ne dit rien. Épouvanté par ce silence, je voulus changer de sujet et au hasard demandai : – Où est Battista ?

Sous le grand chapeau, sa voix tranquille répondit :

– Je ne sais pas… à propos, ce matin, il ne déjeunera pas avec nous… il est allé faire un tour en mer avec Rheingold.

Avant que j'eusse le temps de réfléchir, ces mots sortirent de mes lèvres : – Emilia, je t'ai vue hier soir, quand Battista t'embrassait.

– Je le savais… je t'avais vu, moi aussi… – La voix était tout à fait normale, à peine étouffée par les bords du chapeau.

Je fus ahuri de la voir accueillir ainsi ma révélation, étonné aussi de ma décision subite. En réalité, pensai-je, le silence de la mer, la torpeur provoquée par le soleil, avaient comme dissous et effacé notre discorde dans un sentiment général d'intimité et de détachement. J'ajoutai cependant avec effort : – Emilia, il faut que nous parlions tous les deux…

– Pas maintenant… je veux prendre mon bain de soleil et être tranquille…

– Plus tard, dans l'après-midi, alors ?

– C'est entendu, aujourd'hui, après-midi.

Je me levai et sans jeter un regard derrière moi je repris le chemin qui menait à la villa.

19

Au déjeuner, nous n'échangeâmes que de rares paroles. Le silence paraissait pénétrer jusqu'à l'intérieur de la maison avec la forte lumière méridienne. Le ciel et la mer qui emplissaient les vastes fenêtres nous rendaient, en nous éblouissant, plus distants l'un de l'autre ; on eût dit que tout cet azur avait la consistance d'une eau sous-marine et que nous étions assis au fond de la mer, séparés par la masse liquide lumineuse, incapables de parler. D'autre part, je me faisais un point d'honneur de ne pas affronter l'explication d'Emilia avant l'heure que j'avais fixée moi-même. On pourrait penser que, dans de semblables circonstances, deux personnes qui se trouvent l'une en face de l'autre avec une imminente et importante discussion en suspens, ne pensent pas à autre chose. Ce n'était certes pas notre cas ; je ne pensais pas au baiser de Battista et à notre intime désaccord ; et j'étais sûr qu'Emilia n'y pensait pas davantage. D'une certaine manière se renouvelaient cet arrêt du temps, cette torpeur et cette indifférence qui, ce matin sur la plage, me conseillaient de remettre toute discussion à plus tard.

Après le déjeuner, Emilia se leva, dit qu'elle allait se reposer et sortit. Demeuré seul, je restai un moment sans bouger, à regarder par les fenêtres la ligne nette et lumineuse de l'horizon, là où le bleu plus dur de la mer se fondait avec l'azur profond du ciel. Un petit navire tout noir avançait sur cette ligne comme une mouche sur un fil tendu et je le suivais des yeux en imaginant puérilement, je ne savais pourquoi, ce qui se passait en ce moment à bord : marins astiquant les cuivres ou lavant le pont, cuisinier faisant la vaisselle dans l'entrepont, officiers peut-être encore à table dans leur carré, mécaniciens à demi nus jetant des pelletées de charbon dans la chaudière… C'était un très petit navire, guère plus gros qu'un point à ma vue, mais de près une grande chose, pleine de gens, chargée de destins humains. Et, par opposition, je pensais que là-bas, de leur navire ces marins, en regardant les côtes de

Capri, fixaient peut-être des yeux le point blanc perdu sur la rive, sans même soupçonner que ce point était la villa et que j'y étais avec ma femme, que nous ne nous aimions pas, qu'Emilia me méprisait et que je ne savais comment reconquérir son estime et son amour.

Je m'aperçus que le sommeil me gagnait et dans un brusque sursaut d'énergie, je décidai de mettre en action la première partie de mon plan : avertir Rheingold qu'après mûres réflexions je renonçais à collaborer avec lui. Cette pensée me fit l'effet d'une douche froide. Tout à fait réveillé, je quittai la villa.

Une demi-heure après, ayant parcouru d'un pas rapide le chemin qui tourne autour de l'île, j'entrais dans le hall de l'hôtel. Je me fis annoncer et allai m'asseoir sur un fauteuil. J'avais l'impression de jouir d'une grande lucidité d'esprit, une lucidité fébrile mêlée d'agitation. Mais au soulagement grandissant, presque joyeux, que j'éprouvais à la pensée de ce que j'allais faire, je me sentais sur la bonne voie. Au bout de quelques minutes, Rheingold entra dans le hall et vint au-devant de moi, le visage à la fois soucieux et surpris, l'étonnement de ma visite à cette heure se mêlant à la crainte de quelque désagréable nouvelle. Je lui demandai par politesse :

– Vous dormiez peut-être, Rheingold, vous aurais-je réveillé ?

– Non, non – assura-t-il – je ne dormais pas, je ne fais jamais la sieste… mais venez, Molteni… allons au bar.

Je le suivis au bar, désert à cette heure. Comme s'il voulait retarder la discussion qu'il pressentait, Rheingold me demanda ce que je voulais boire : café, liqueur ? Il me faisait cette offre avec l'air sombre et réticent d'un avare contraint à une hospitalité dispendieuse. Mais je comprenais que le motif de son mécontentement était autre et qu'il eût préféré ne pas me voir. Je ne voulus rien prendre et après quelques phrases banales j'abordai aussitôt l'argument principal de ma visite : – Vous vous étonnez sans doute de me voir revenir si tôt alors que j'avais tout le jour pour réfléchir, mais il m'a semblé inutile d'attendre jusqu'à demain… j'ai suffisamment approfondi la question et viens vous communiquer le résultat de mes réflexions…

– Et quel est ce résultat ?

– Que je ne puis collaborer au scénario ; en somme, que je renonce à ce travail.

Rheingold n'accueillit pas ma déclaration avec surprise, évidemment il s'y attendait. Mais il parut saisi d'une sorte d'agitation et me répondit d'une voix changée : – Voyons, Molteni, nous avons besoin, vous et moi, de parler clairement !

– Il me semble que je viens d'être on ne peut plus clair… je ne ferai pas le scénario de *L'Odyssée*.

– Et pourquoi, je vous prie ?

– Parce que je ne suis pas d'accord avec votre interprétation du sujet.

– Alors – dit-il d'une façon inattendue – alors, vous êtes d'accord avec Battista ?

Cette attaque à laquelle je ne m'attendais pas m'irrita à mon tour. Je n'avais pas pensé qu'être en désaccord avec Rheingold signifiait être d'accord avec Battista. – Que vient faire Battista ! – dis-je avec colère – je n'épouse pas davantage son point de vue… mais, je vous le dis sincèrement, Rheingold, si j'avais à choisir entre les deux, je vous préférerais encore Battista… Je regrette, mais pour moi ou l'on fait *L'Odyssée* d'Homère ou on ne la fait pas.

– Une mascarade en *technicolor*, avec femmes nues, *King-Kong*, danses du ventre, exposition de seins, monstres en carton-pâte, mannequins… !

– Je n'ai pas dit cela ; j'ai dit *L'Odyssée* d'Homère !

– Mais, *L'Odyssée* d'Homère, c'est la mienne – s'exclama-t-il avec une conviction profonde – c'est la mienne, Molteni !

Je ne sais pourquoi j'éprouvai tout à coup le besoin de mettre Rheingold hors de ses gonds : son faux sourire cérémonieux, sa véritable dureté tyrannique, ses courtes vues psychanalytiques m'étaient en ce moment insupportables. Je dis avec emportement : – Non, *L'Odyssée* d'Homère n'est pas la vôtre et je vous dirai plus, puisque vous me poussez à bout, *L'Odyssée* me ravit et ce que vous voulez en faire me répugne !

– Molteni ! – cette fois, Rheingold paraissait vraiment indigné.

– Oui, votre *Odyssée* me répugne – poursuivis-je désormais lancé – votre volonté de diminuer, de rabaisser le héros homérique parce que nous ne sommes pas capables de le refaire tel que l'a créé Homère, cette opération d'avilissement systématique m'écœure et je n'y participerai à aucun prix !

– Molteni !… attendez, Molteni !

– Avez-vous lu l'*Ulysse* de James Joyce ? – l'interrompis-je, hors de moi – savez-vous qui est Joyce ?

– J'ai lu tout ce qui a trait à *L'Odyssée* – répondit Rheingold d'un ton extrêmement vexé.

– Eh bien ! Joyce a lui aussi interprété *L'Odyssée* à la manière moderne… et dans cette volonté de modernisation, c'est-à-dire d'avilissement, d'abaissement, de profanation, il est allé beaucoup plus loin que vous, mon cher Rheingold. Il fit d'Ulysse un cocu, un onaniste, un fainéant, un velléitaire, un incapable, et de Pénélope une putain émérite… Éole devint le rédacteur d'un journal, les descentes aux Enfers les funérailles d'un compagnon de ribote, Circé la visite à un bordel et le retour à Ithaque, le retour « at home » la nuit par les rues de Dublin, non sans une halte pour se soulager dans un coin. Mais Joyce eut au moins la discrétion de ne pas évoquer la Méditerranée, la mer, le soleil, les terres inexplorées de l'Antiquité… il situa son Ulysse dans les rues fangeuses d'une cité nordique, dans les tavernes, les bordels, les alcôves, les latrines… Ni soleil, ni mer, ni ciel… mais tout y est moderne, c'est-à-dire bas, avili, réduit à notre misérable mesure… Vous, Rheingold, vous n'avez même pas cette discrétion de Joyce, c'est pourquoi, je vous le répète, entre vous et Battista, je préfère Battista… Vous avez voulu savoir les raisons que j'ai de refuser ce scénario… vous les savez maintenant.

Je me laissai retomber dans mon fauteuil, inondé de sueur. Rheingold me dévisageait, dur, grave, les sourcils froncés :

– En somme, vous êtes d'accord avec Battista ?

– Non, je suis simplement en désaccord avec vous…

– Pardon – dit Rheingold en élevant tout à coup la voix : – pas en désaccord avec moi, mais d'accord avec Battista…

Je sentis brusquement le sang se retirer de mes joues, je devais être mortellement pâle : – Que voulez-vous dire ? – dis-je d'un ton altéré.

Rheingold se pencha vers moi et d'une voix sifflante – c'est le mot car il faisait penser à un serpent qui se sent menacé : – Je dis ce que je dis… Je viens de déjeuner avec Battista, il ne m'a pas caché ses idées ni le fait que vous les partagez… vous êtes d'accord avec lui, quoi qu'il veuille… L'art n'est pas votre but, Molteni, ce qui vous intéresse c'est l'argent… voilà la vérité, Molteni… une seule chose vous importe, être payé… à n'importe quel prix !

– Rheingold ! – protestai-je d'une voix forte.

– J'ai compris, cher monsieur – insista-t-il – et je vous le répète en face : à n'importe quel prix !

Nous étions maintenant face à face, haletants, moi pâle comme une feuille de papier, lui d'un rouge écarlate. – Rheingold… – répétai-je, mais je me rendais compte que ma voix exprimait plutôt une obscure douleur que l'indignation et que ce cri : – Rheingold ! – paraissait plus une prière que l'expression de la colère d'un homme offensé, sur le point de passer de la violence verbale aux coups. Mais, en même temps, je sentais que j'allais gifler le metteur en scène. Je n'en eus pas le temps. À mon grand étonnement, car je le jugeais lourd d'esprit, Rheingold parut comprendre la douleur contenue dans ma voix et brusquement il parut se ressaisir et reprendre son sang-froid. Il s'écarta un peu et très bas, d'un ton volontairement humble : – Excusez-moi, Molteni, je ne pensais pas ce que je viens de dire !

Je fis un geste nerveux comme pour dire « je vous excuse » et je sentis les larmes monter à mes yeux. Rheingold reprit après un moment d'embarras : – Bien… c'est donc entendu… vous ne participerez pas au scénario… avez-vous déjà averti Battista ?

– Non.

– Pensez-vous l'avertir ?

– Faites-le vous-même… je ne crois pas que je reverrai Battista.

Je me tus un instant puis repris : – Et dites-lui qu'il cherche un autre scénariste… que ceci soit bien clair, Rheingold !

– Quoi donc ? – demanda-t-il étonné.

– Je ne ferai pas de scénario sur *L'Odyssée*, que ce soit d'après vos idées, ou les siennes… ni avec vous, ni avec un autre metteur en scène… vous avez bien compris ?

Une lueur de compréhension passa dans ses yeux. Il demanda toutefois, prudemment : – Est-ce mon scénario que vous refusez ou le scénario en lui-même, de toute façon ?

Je dis après une courte réflexion : – Je vous l'ai déjà dit, je ne veux pas de votre interprétation ; d'autre part je me rends compte qu'en motivant ainsi mon refus, je vous fais du tort auprès de Battista… Voici ce dont nous allons convenir : vous savez que je ne veux pas de votre scénario, mais pour Battista, qu'il soit entendu que je refuse de traiter ce sujet quelle que soit l'interprétation qu'on lui donne… dites-lui que je ne me sens pas de taille, que je suis las… une dépression nerveuse… Qu'en pensez-vous ?

Rheingold parut immédiatement soulagé. Il insista cependant : – Et Battista, le croira-t-il ?

– Il le croira, soyez tranquille, vous verrez qu'il le croira !

Un long silence s'ensuivit. Nous étions tous deux fort gênés ; notre récente altercation était encore dans l'air et nous ne pouvions l'oublier si vite. Rheingold dit finalement : – Je regrette beaucoup de ne pas vous avoir pour collaborateur, Molteni… peut-être aurions-nous pu nous mettre d'accord ?

– Je ne le crois pas.

– Nos divergences n'étaient peut-être pas si grandes, après tout ?

Je dis avec fermeté, tout à fait calme maintenant : – Non, Rheingold, elles étaient immenses. Il est possible que vous ayez raison en voyant *L'Odyssée* à votre manière… mais je suis convaincu, pour ma part, que même aujourd'hui *L'Odyssée* peut être représentée comme l'a écrite Homère.

– Simple aspiration, Molteni… vous aspirez à un monde pareil à celui d'Homère… vous voudriez qu'il existe… malheureusement, cela n'est pas.

Je répondis conciliant : – Admettons… j'aspire à un monde semblable à celui d'Homère… et vous, non.

– Vous vous trompez, Molteni : moi aussi… qui n'y aspire pas ? Seulement, quand il s'agit de faire un film, les rêves ne suffisent pas…

Un autre silence. Je regardai Rheingold et je voyais que tout en comprenant mes raisons, il n'était pas entièrement convaincu.

130

Inopinément, je lui demandai : – Vous connaissez sans doute le chant d'Ulysse dans *La Divine Comédie* ?

– Oui – répondit-il un peu surpris de ma question – je le connais mais ne l'ai pas tout à fait présent à l'esprit…

– Permettez que je vous le récite, je le sais par cœur…

– Si cela vous fait plaisir.

Je ne savais vraiment ce qui me poussait à réciter ce passage de Dante ; peut-être – pensai-je par la suite – cela me semblait-il être la meilleure manière de répéter certaines choses à Rheingold sans risquer de l'offenser de nouveau. Et tandis que le metteur en scène se calait dans son fauteuil, avec un air résigné : – Dante fait raconter à Ulysse sa propre fin et celle de ses compagnons…

– Je sais, Molteni… je sais… récitez donc.

Je me recueillis une minute, les yeux baissés, puis commençai : – Le plus grand dilemme de la fable antique – et je continuai sur un ton normal, évitant le plus possible l'emphase. Rheingold, après m'avoir considéré un moment, les sourcils froncés sous la visière de sa casquette de toile, tourna ses regards vers la mer et ne bougea plus. Je continuai à réciter lentement, d'une voix claire, mais à partir du vers : – *Ô mes frères qui par centaines de mille* – je sentis que malgré moi une émotion soudaine faisait vibrer ma voix. Je pensais en effet que ces vers exprimaient non seulement l'idée que je me faisais du personnage d'Ulysse, mais aussi celle que j'avais de moi-même et de ma vie telle qu'elle aurait dû être et n'était malheureusement pas. Et je sentais que cette émotion naissait du contraste entre la clarté et la beauté de cette idée et mon impuissance effective. Je réussis cependant à maîtriser le frémissement de ma voix et poursuivis, sans interruption jusqu'au dernier vers : – *jusqu'à ce que la mer se fût refermée sur nous.* – Et, ayant terminé, je me levai pour prendre congé. Rheingold fit de même.

– Permettez, Molteni – fit-il rapidement – permettez… pourquoi m'avoir récité ce passage de Dante… pour quelle raison ? C'est évidemment très beau, mais pourquoi… ?

– Parce que, Rheingold, ceci est l'Ulysse que j'aurais voulu camper. C'est ainsi que je le vois… j'ai tenu, avant de vous quitter, à vous le confirmer de façon indubitable… il m'a semblé que ce passage vous l'expliquait mieux que mes paroles…

– Certainement… mais Dante est Dante : un homme du Moyen Âge, mais vous, Molteni, un homme moderne…

Je ne répondis pas cette fois et lui tendis la main. Il comprit et ajouta : – De toute façon, Molteni, je regretterai beaucoup d'avoir à me passer de votre collaboration… je m'étais déjà habitué à vous…

– Ce sera pour une autre fois – répliquai-je – moi aussi, j'aurais volontiers travaillé avec vous.

– Mais alors, pourquoi, Molteni ?

– Le destin – dis-je avec un sourire en lui serrant la main. Et je m'éloignai. Il demeura près de la table, dans le bar, les bras ballants dans un geste d'incertitude comme s'il se demandait encore pourquoi.

Je sortis rapidement de l'hôtel.

20

Je mis autant de hâte à retourner à la maison que j'en avais mis à la quitter et avec une impatience, une exaltation batailleuses qui ne me permettaient pas de réfléchir calmement à ce qui venait de se passer. À vrai dire, tout en courant, sous le soleil brûlant, par l'étroit chemin cimenté, je ne pensais à rien. Mais je sentais que la trop longue immobilité d'une situation intolérable était enfin rompue ; que sous peu j'allais savoir pourquoi Emilia ne m'aimait plus : au-delà de cette certitude, rien n'existait pour moi. La réflexion appartient au moment qui précède l'action ou qui la suit ; mais en pleine action ce qui nous guide ce sont des réflexions passées, désormais oubliées et que notre âme a transformées en passions. J'agissais, donc je ne pensais pas. Mais je savais que ma pensée se réveillerait plus tard, une fois les actes nécessaires accomplis.

Arrivé à la villa, je grimpai en courant l'escalier conduisant à la terrasse et entrai dans le living-room. Il était vide, mais une revue ouverte sur un fauteuil, des bouts de cigarettes rougis de fard dans le cendrier et la radio en marche d'où venait une musique de danse assourdie témoignaient de la présence récente d'Emilia. Fut-ce la qualité de cette lumière d'après-midi, tamisée et agréable ou peut-être cette musique discrète, mais mon emportement se calma d'un seul coup cependant que les motifs qui l'avaient inspiré demeuraient tout aussi clairs et inébranlables. Je fus frappé avant tout par l'air habité, confortable, calme, familier de ce living-room. On eût dit que nous habitions cette maison depuis des mois et qu'Emilia y avait déjà pris ses habitudes comme dans une demeure définitive. Cette radio, ce magazine, ces cigarettes à demi consumées, évoquaient à ma mémoire l'ancienne passion d'Emilia pour son intérieur, cette aspiration pathétique, tout instinctive et féminine, au foyer, à la stabilité du chez-soi. Ainsi, malgré les circonstances et les événements, elle se préparait à un long séjour, contente au fond de se trouver à Capri, dans la maison de Battista. Or, je venais lui annoncer qu'il nous fallait repartir.

Préoccupé, je me rendis à la chambre d'Emilia et j'ouvris la porte. Il n'y avait personne, mais là encore je remarquai les traces de ses habitudes domestiques : la robe de chambre soigneusement étalée sur un fauteuil, les babouches au pied du lit : les flacons de toilette, les petits pots et tous les ustensiles de beauté bien alignés sur l'étagère, devant le miroir ; sur la commode, un livre, une grammaire anglaise, car depuis quelque temps elle s'était mise à étudier cette langue, un cahier pour ses exercices, un crayon... les valises apportées de Rome avaient disparu. Instinctivement, j'ouvris l'armoire : les quelques robes d'Emilia étaient pendues à des cintres, sur un rayon elle avait disposé mouchoirs, ceintures, rubans, une paire de souliers. Que lui importait, pensai-je, de m'aimer ou d'aimer Battista, pourvu qu'elle ait une maison et puisse compter sur un long séjour tranquille, sans souci d'aucun genre.

Je sortis de la chambre et par un étroit corridor me dirigeai vers la cuisine qui se trouvait dans un petit bâtiment attenant à la villa. Sur le seuil, j'entendis la voix d'Emilia qui parlait à la cuisinière. Machinalement je restai derrière la porte pour écouter.

Emilia était en train de donner ses instructions pour le repas du soir. – M. Molteni – disait-elle – aime la cuisine simple, sans sauces... bouilli ou rôti en somme... cela n'en vaut que mieux pour vous, Agnesina, vous aurez moins à faire.

– Oh ! Madame, il y a toujours de quoi s'occuper... même la cuisine simple, ce n'est pas si simple que ça... alors, ce soir, qu'allons-nous faire ?

Un court silence. Emilia devait réfléchir. Puis elle demanda :
– Trouve-t-on encore du poisson à cette heure ?

– Oui, si je vais chez le marchand qui fournit les hôtels.

– Alors, achetez donc un beau gros poisson, d'un kilo et même davantage... un poisson fin, sans trop d'arêtes... une dorade, ou mieux, un loup... ce que vous trouverez enfin... et mettez-le au four ou bien bouilli... savez-vous faire la mayonnaise, Agnesina ?

– Oui, Madame.

– Très bien... si le poisson est bouilli, vous faites une mayonnaise. Et puis de la salade ou un légume quelconque, carottes, courgettes, haricots verts... ce que vous trouverez... et surtout des fruits, beaucoup de fruits que vous mettrez à la glacière dès que vous reviendrez du marché, afin qu'ils soient bien frais au moment de servir...

– Et comme entrée, Madame ?

– Ah ! c'est vrai, l'entrée... eh bien ! pour ce soir, quelque chose de très simple : achetez du jambon, pas du jambon de montagne qui est trop salé et en même temps vous servirez des figues... il y a des figues, n'est-ce pas ?

– Oui, Madame.

Tandis que j'écoutais cette conversation ménagère, si banale, si paisible, les dernières paroles que j'avais échangées avec Rheingold me revenaient, je ne sais pourquoi, à l'esprit. Il m'avait dit que j'aspirais à un monde pareil à celui de *L'Odyssée* et je lui avais donné raison ; mais il avait répliqué que mes aspirations étaient vaines, le monde moderne n'ayant plus rien du monde de *L'Odyssée*. Pourtant, pensai-je, la situation que j'ai sous les yeux peut être l'exacte représentation de la même conjoncture au temps d'Homère : la maîtresse de maison parlant avec sa servante et lui donnant ses ordres pour le repas du soir... Cette pensée réveilla en moi l'image de cette belle lumière douce et radieuse qui emplissait le salon et, comme par enchantement, la villa de Battista devint pour moi la maison d'Ithaque et Emilia, Pénélope en train de parler avec sa servante. Oui, j'avais raison, tout était, tout aurait pu être comme jadis ; et tout était amèrement différent. Je m'avançai sur le seuil et appelai : – Emilia !

Elle se retourna à peine : – Qu'y a-t-il ? – demanda-t-elle.

– Tu sais que j'ai à te parler ?

– Va m'attendre au salon... j'ai encore à faire avec Agnesina... mais je viens tout de suite...

Je retournai au salon et m'installai dans un fauteuil en attendant. Une pensée me troublait maintenant, un remords anticipé pour ce que j'allais faire. Selon toute apparence, Emilia s'attendait à un long séjour à la villa et voilà que j'allais lui demander de partir. Je me souvenais de la façon dont, il y avait à peine quelques jours, elle m'avait signifié sa décision de me quitter ; et comparant son attitude presque désespérée d'alors avec la sérénité de sa conduite présente, je pensai qu'elle avait après tout résolu de vivre avec moi, fût-ce en me méprisant. En somme, la situation intolérable contre laquelle elle se révoltait alors, elle l'acceptait maintenant. Mais cette acceptation était plus offensante pour moi que toute rébellion, étant chez elle le signe d'une déchéance, d'un écroulement, comme si, non contente de me mépriser, elle s'englobait elle-même dans ce mépris. Cette pensée suffit à chasser de mon âme le léger remords qui la troublait. Oui, pour elle et pour moi, il fallait que nous partions et j'allais lui annoncer notre départ.

J'attendis encore un moment puis Emilia entra, alla fermer la radio et s'assit : – Tu voulais me parler ?

– As-tu déjà défait tes valises ? – ripostai-je.

– Oui, pourquoi ?

– Je regrette... mais tu vas être obligée de les refaire... demain matin nous repartons pour Rome.

Elle ne broncha pas, comme si elle n'avait pas compris. Mais elle demanda d'un ton âpre : – Mais, qu'est-il encore arrivé ?

– Il est arrivé – répondis-je en me levant pour aller fermer la porte donnant sur le corridor – que j'ai résolu de ne pas faire le scénario… j'envoie tout promener… nous n'avons donc qu'à revenir chez nous.

Cette nouvelle parut l'exaspérer. Les sourcils froncés, elle demanda : – Et pourquoi as-tu résolu de refuser ce travail ?

Je répondis sèchement : – Ta question me surprend… il me semble qu'après ce dont j'ai été témoin hier, à travers la fenêtre, je n'ai pas autre chose à faire.

Elle objecta avec une froideur subite : – Hier soir, tu étais d'un autre avis… et cependant tu étais déjà au courant…

– Hier soir, je m'étais laissé persuader par tes arguments… mais j'ai compris que je n'avais pas le droit d'en tenir compte… je ne sais pour quel motif tu m'as conseillé de faire ce scénario et je ne veux pas le savoir… je sais seulement qu'il vaut mieux, pour moi et également pour toi, que j'y renonce.

Elle eut une question inattendue : – Battista est-il au courant ?

– Il ne sait rien encore – répondis-je – mais je suis allé trouver Rheingold et je l'ai averti.

– Tu as très mal fait !

– Pourquoi ?

– Parce que – dit-elle d'un ton hargneux et mal assuré – nous avions besoin de cet argent pour payer l'appartement… d'autre part, tu m'as dit toi-même bien des fois que rompre un contrat était se fermer la porte pour des travaux futurs… tu as mal fait… il ne fallait pas…

Je m'irritai à mon tour : – Ne te rends-tu pas compte – m'écriai-je – que ma situation n'est plus tolérable, que je ne puis continuer à recevoir de l'argent d'un homme qui… qui cherche à séduire ma femme !

Emilia ne répondit pas. Et je repris : – Je refuse le scénario parce que, dans les conditions présentes, je manquerais de dignité en l'acceptant… Mais je le refuse aussi pour toi, à cause de toi, afin que tu révises ton jugement sur moi… Je me demande pourquoi tu me considères comme un homme capable d'accepter du travail dans de telles circonstances… tu te trompes… je ne suis pas cet homme-là !

Je vis une lueur hostile et ironique passer dans ses yeux :

– Si c'est pour toi que tu agis de la sorte… passe encore… mais si c'est à cause de moi, il est encore temps de modifier ta décision… tu ferais une chose inutile, je te l'assure… cela ne servirait qu'à te faire du tort et voilà tout !

– Que veux-tu dire ?

– Rien que ce que je dis : cela ne servirait à rien.

Je sentis le froid monter à mes tempes et compris que je pâlissais : – Parce que ?

– Dis-moi d'abord quel effet tu pensais produire sur moi par ta décision ?

Ainsi le moment était venu de l'explication définitive. Emilia elle-même me le proposait. Et tout à coup la peur me saisit : – Tu m'as dit, il y a quelque temps, que tu me méprisais... ce sont tes propres termes... je ne sais pourquoi j'ai perdu ton estime... mais je sais qu'on ne méprise que les gens qui font des choses méprisables... or, accepter aujourd'hui ce scénario serait une chose méprisable... ma décision doit te prouver que je ne suis pas ce que tu crois... c'est tout !

Elle répliqua aussitôt sur un ton de victoire, contente, eût-on dit, de me voir tomber dans le piège : – Ta décision ne me prouve rien du tout... c'est pourquoi je te conseille d'en changer...

– Comment ! elle ne prouve rien ! – Je m'étais rassis et d'un geste presque automatique qui décelait mon trouble, j'étendis la main pour prendre la sienne, sur le bras de son fauteuil : – Emilia !... c'est toi qui me dis cela ?

Elle retira vivement sa main : – Je t'en prie... assez de tout ceci... ne me touche pas... n'essaie plus de me toucher... je ne t'aime pas et il ne me sera plus jamais possible de t'aimer.

Je retirai ma main et dis, profondément blessé : – Ne parlons pas de notre amour... tu as raison... mais parlons de ton... ton mépris... alors, même si je refuse ce scénario, tu continueras à me mésestimer ?

Brusquement elle se leva, comme en proie à une douleur subite : – Oui, je continuerai... et puis, laisse-moi tranquille...

– Mais, ce mépris a bien une cause...

– C'est toi-même, ce que tu es... tous tes efforts n'y changeront rien.

– Comment suis-je donc ?

– Comment ? Je ne sais pas, moi... tu devrais le savoir... ce que je sais, c'est que tu n'es pas un homme... que tu ne te conduis pas comme un homme !

Une fois de plus je fus frappé par le contraste entre la clarté, la sincérité du sentiment qui se faisait jour à travers ses paroles et l'imprécision, la maladresse de ses paroles mêmes, des lieux communs... – Qu'est-ce que cela veut dire : être un homme ? – demandai-je avec une rage froide mêlée d'ironie – tu ne comprends pas que cela n'a aucun sens ?

– Allons, allons, tu sais bien ce que je veux dire...

Elle était allée à la fenêtre et me tournait le dos tout en me parlant. Je me pris la tête à deux mains et la regardai un moment, désespéré. On eût dit que ce n'était pas seulement son corps qui me tournait le dos, mais toute son âme. Elle ne voulait pas, ou peut-être ne savait pas s'expliquer. Certainement son mépris était fondé sur un motif existant, mais pas assez clair pour qu'elle puisse le formuler avec précision, alors elle préférait attribuer ce mépris à un caractère spécifiquement, congénitalement méprisable de ma nature, inexplicable et partant irrémédiable. Soudain je me rappelai l'interprétation de Rheingold quant à la mésentente conjugale d'Ulysse et de Pénélope et une lumière subite se fit en moi. « Et si Emilia avait eu l'impression que depuis plusieurs mois je m'étais aperçu que Battista lui faisait la cour ; si elle avait cru que je cherchais à profiter de l'occasion... qu'au lieu de me révolter, en somme, je favorisais, par intérêt, les visées de Battista ? » Une telle pensée me coupa le souffle, car en même temps je me souvenais de certains épisodes équivoques qui pouvaient avoir confirmé son soupçon : entre autres, par exemple, le premier soir où nous étions sortis avec Battista, mon retard dû à un accident de taxi, mais qu'elle avait pu attribuer à un calcul de ma part pour la laisser seule avec le producteur.

Comme pour confirmer mes réflexions, Emilia dit tout à coup sans se retourner : – Un homme qui est un homme ne se serait pas comporté comme toi hier soir, après avoir vu ce que tu avais vu... toi, au contraire, tu es venu tout gentiment me demander mon avis, comme si rien ne s'était passé... avec l'espoir que je te donnerais le conseil de faire quand même ton scénario... et je te l'ai donné, ce conseil que tu attendais et tu l'as accepté... et puis aujourd'hui, à la suite de je ne sais quelles difficultés avec l'Allemand, tu viens me dire que tu renonces à ce travail pour moi, parce que je te méprise et que tu ne veux pas être jugé méprisable... mais je te connais maintenant et je me doute bien que tu n'as pas renoncé de ton propre gré et que c'est l'Allemand qui t'a fait renoncer... De toutes façons, il est trop tard... je me suis fait mon idée sur toi et tu pourrais refuser tous les scénarios du monde que je n'en changerais pas... Il est donc inutile de faire tant d'histoires... accepte ce travail et laisse-moi tranquille, une fois pour toutes... !

Ainsi nous tournions toujours dans le même cercle : elle me méprisait mais se refusait à me dire pourquoi. Je répugnais profondément à formuler moi-même ses raisons, d'abord parce qu'elles étaient viles, ensuite parce que en les formulant, il me semblait en quelque sorte en accepter le bien-fondé. Cependant, si je voulais aller au fond de la question, je n'avais pas autre chose à faire. J'affermis ma voix et, aussi calmement que je le pus : – Emilia – dis-je – tu me méprises et tu ne veux pas me dire pourquoi... peut-être ne le sais-tu pas toi-même... mais j'ai le droit de savoir pour te prouver que tu vois faux, pour pouvoir me disculper...

Écoute, si je te dis, moi, pourquoi tu me méprises, me promets-tu de me répondre si je dis vrai ou non ?

Elle restait immobile devant la fenêtre, le dos tourné, sans répondre. Puis d'une voix lasse, exaspérée : – Je ne te promets rien… oh ! laisse-moi en paix !

– La raison est celle-ci – dis-je lentement – tu t'es imaginé, en te basant sur des apparences trompeuses, que je… que je n'ignorais rien de Battista… et que, par intérêt, je préférais fermer les yeux ou même te pousser dans ses bras… est-ce cela ?

Je levai les yeux sur elle, attendant sa réponse ; mais celle-ci ne vint pas. Emilia se taisait, les yeux fixés sur quelque chose par-delà les fenêtres. Je me sentis tout à coup rougir jusqu'aux oreilles, rouge de honte pour ce que je venais de dire ; je comprenais que le seul fait de l'avoir dit pouvait être interprété par elle comme une preuve supplémentaire justifiant son mépris. Navré, je m'empressai d'ajouter : – Mais ce n'est pas vrai, Emilia, tu te trompes… jusqu'à hier, je ne savais rien de la conduite de Battista… naturellement tu es libre de me croire ou non, mais si tu ne me crois pas c'est que tu veux pouvoir me mépriser envers et contre tout, que tu refuses d'ouvrir les yeux, que tu m'interdis de me disculper.

Elle continuait à se taire et je compris que j'avais frappé juste ; peut-être ne savait-elle pas exactement pourquoi elle me méprisait mais elle préférait en tout cas ne pas le savoir et continuer à me juger méprisable sans motif, sans preuves, naturellement, comme on voit que quelqu'un est brun ou qu'il a les yeux bleus. Je n'avais pas su la convaincre, mais l'innocence a-t-elle toujours l'accent de la vérité ? Désespéré, poussé par un élan intérieur plus fort que tout raisonnement, je sentis le besoin d'ajouter à mes paroles un argument physique. Je me levai et allai prendre Emilia par le bras : – Emilia – suppliai-je – pourquoi me hais-tu à ce point ? Ne peux-tu te laisser attendrir, même un seul instant ?

Je m'aperçus qu'elle détournait son visage comme pour me le cacher. Mais elle me laissait lui serrer le bras et comme je me rapprochais, touchant sa hanche de la mienne, elle ne se recula pas. Alors je m'enhardis et la pris par la taille. Elle se retourna et je vis ses joues toutes baignées de larmes. – Je ne te pardonnerai jamais – s'écria-t-elle – jamais je ne te pardonnerai d'avoir ruiné notre amour… je t'aimais tant… et je n'avais jamais aimé que toi… et je n'aimerai jamais personne d'autre… mais par ton caractère, tu as tout détruit… nous aurions pu être si heureux ensemble… et maintenant tout est impossible… comment veux-tu que je me laisse attendrir ? Comment ne t'en voudrais-je pas ?

Je ne sais quel espoir s'agita en moi : après tout elle disait qu'elle m'avait aimé, que j'avais été son seul amour. – Écoute – murmurai-je en l'attirant doucement vers moi – tu vas aller faire les valises et nous partirons demain matin… à Rome je t'expliquerai tout, et tu seras convaincue, j'en suis sûr !

Cette fois elle se libéra, presque avec violence : – Je ne partirai pas – cria-t-elle. – Qu'irais-je faire à Rome ? Il faudrait que je quitte la maison et puisque ma mère ne veut pas de moi, je devrais aller vivre dans un garni, recommencer à faire la dactylo… non, non, je ne pars pas… je reste ici… j'ai besoin de calme, de repos… je reste… pars si tu veux, moi, je reste… Battista m'a dit que je pouvais demeurer aussi longtemps que je voudrais…

À mon tour, je m'emportai : – Tu partiras avec moi, demain matin…

– Tu te trompes, mon pauvre ami, je reste ici…

– Dans ce cas, je resterai aussi et j'agirai de telle sorte que Battista nous mettra tous les deux à la porte…

– Tu ne feras pas cela !

– Si, je le ferai !

Elle me dévisagea un instant, puis sans dire un mot quitta le living-room. La porte de sa chambre claqua violemment et j'entendis la clé tourner dans la serrure.

21

Et voilà : j'étais lié par cette déclaration faite dans un mouvement de colère : « Moi aussi, je resterai ! » Mais Emilia était à peine partie que je me rendais compte de l'impossibilité de rester : la seule personne qui devait s'en aller, c'était moi. J'avais rompu mes engagements avec Rheingold, avec Battista et maintenant tout laissait penser que je venais de rompre les liens entre Emilia et moi. J'étais de trop, il fallait partir. Mais j'avais crié à Emilia que je resterais et au fond, soit par un reste d'espoir, soit par représailles, je voulais rester. En d'autres circonstances, une telle situation eût été ridicule ; pour mon état d'âme désespéré elle n'était qu'angoissante, comme celle d'un alpiniste qui, arrivé à un point particulièrement dangereux de son ascension, s'aperçoit qu'il ne peut rester où il est, ni aller de l'avant, ni retourner en arrière. En proie à une agitation subite et anxieuse, je me mis à arpenter le salon de long en large, me demandant ce que je devais faire. Il m'était impossible de m'asseoir à table entre Emilia et Battista comme si rien ne s'était passé ; un moment, j'eus l'idée d'aller dîner à Capri et de rentrer tard dans la nuit. Mais j'avais déjà fait quatre fois dans la journée le trajet de la villa au village, toujours en courant, en plein soleil ; je me sentais las et n'avais pas le courage d'affronter cette fatigue une fois de plus. Je regardai ma montre, elle marquait six heures. J'avais encore au moins deux heures avant le dîner : que faire ? Je me décidai enfin, allai dans ma chambre et m'enfermai à clé, puis je fermai les volets et l'obscurité faite, je me jetai sur le lit. J'étais vraiment las et, à peine étendu, mes membres cherchèrent d'instinct la position favorable au sommeil. Je rendis grâce à mon corps qui, plus sage que mon esprit, donnait tout naturellement une muette réponse à mon angoissante question : que faire ? Et je ne tardai pas à tomber dans un profond sommeil.

Je dormis pesamment, sans un rêve ; puis je m'éveillai et à l'obscurité complète qui régnait, je jugeai qu'il était tard. Je me levai et allai ouvrir la fenêtre : il faisait nuit en effet. J'éclairai et regardai ma montre : il était neuf heures. Le dîner, je le savais, était pour huit heures, huit heures et demie au plus tard. Et de nouveau la même question se présenta à mon esprit : que faire ? Mais je m'étais reposé et cette fois la réponse vint, audacieuse et insouciante : « Après tout, je suis l'hôte de la villa, je n'ai aucune raison de me cacher, je me présenterai donc à table et il arrivera ce qui arrivera… Je me sentais même belliqueux et prêt à affronter une altercation avec Battista pour qu'il n'ait plus qu'à nous jeter dehors, ainsi que j'en avais menacé Emilia. Rapidement je mis de l'ordre dans ma tenue et sortis de ma chambre.

Mais le living-room était désert, bien que la table fût préparée dans le coin habituel. Il n'y avait qu'un seul couvert pourtant. Presque aussitôt la domestique apparut et m'avertit que Battista et Emilia étaient allés dîner à Capri. Je pouvais aller les rejoindre, si je le désirais, au restaurant *Bellavista*. Autrement, je pouvais dîner à la maison, le repas étant déjà prêt depuis plus d'une demi-heure.

Je vis qu'Emilia et Battista s'étaient, comme moi, posé la question : que faire ? et qu'ils l'avaient résolue le plus simplement possible en s'en allant et me laissant maître du champ de bataille. Cette fois pourtant je n'éprouvai ni jalousie, ni dépit, ni désillusion ; non sans tristesse, je pensai qu'ils avaient fait la seule chose à faire et je ne pouvais que leur être reconnaissant de m'avoir évité un tête-à-tête désagréable. Je compris par ailleurs que cette tactique de l'absence visait à me faire partir et que s'ils persistaient à l'appliquer les jours suivants, je n'aurais plus qu'à m'en aller. Mais ceci concernait un futur encore incertain. Je dis à la domestique que je dînerais à la maison et qu'elle pouvait me servir, puis je m'assis à table.

Je mangeai du bout des lèvres, sans appétit, prenant à peine une mince tranche de jambon dans le plat abondant et un tout petit morceau du gros poisson qu'Emilia avait commandé pour trois. En quelques minutes, j'eus expédié mon repas. Je dis à la domestique que j'allais me coucher et que je n'avais plus besoin d'elle. Puis je sortis sur la terrasse.

Quelques chaises longues étaient assemblées dans un coin, j'en installai une près de la balustrade et m'y étendis, face à la mer qu'engloutissait déjà la nuit.

En revenant à la villa après ma conversation avec Rheingold, je m'étais promis qu'une fois les choses tirées au clair avec Emilia, j'approfondirais calmement tout ce qui s'était passé. Je me rendais compte à ce moment que j'ignorais encore tout des raisons pour lesquelles Emilia avait cessé de m'aimer ; mais l'idée ne m'avait pas effleuré qu'après m'être expliqué avec elle, je ne serais pas plus avancé qu'avant. Au contraire je me persuadais, peu judicieusement, que notre discussion apporterait une clarté tout au moins relative à ce qui jusqu'alors n'avait été que terrible obscurité. Si bien que je pourrais m'exclamer : – Ce n'est que cela ! Et c'est pour un motif aussi futile que tu ne veux plus m'aimer !

Or il était arrivé ce à quoi je ne m'attendais pas ; l'explication avait eu lieu – ou tout au moins le genre d'explication possible entre nous – et je ne savais rien de plus. Il y avait pire : je pensais que la cause du mépris d'Emilia pouvait être découverte par un examen attentif de nos rapports passés ; mais elle n'était pas disposée à le reconnaître, s'obstinant au fond à me mépriser sans raison, m'ôtant toute possibilité de me disculper, de me justifier, s'interdisant à elle-même tout retour à l'estime et à l'amour.

J'avais enfin compris que dans l'âme d'Emilia le sentiment de mépris était né avant, bien avant que ma conduite ait pu lui fournir une justification, vraie ou fausse. Son mépris était né du rapport constant entre nos deux natures, en dehors de toute preuve essentielle et irrécusable, de la même manière que la pureté d'un métal précieux se vérifie au contact de la pierre de touche. En effet, lorsque j'avais émis l'hypothèse que sa désaffection était la conséquence d'une erreur de jugement quant à ma conduite vis-à-vis de Battista, elle n'avait ni acquiescé, ni protesté, mais s'était réfugiée dans le silence. En réalité, pensai-je avec douleur, Emilia, de prime abord, me jugeait capable de tout et ne demandait qu'à voir confirmer son mépris. Autrement dit, son attitude envers moi impliquait une appréciation de ma valeur, une estimation de mon caractère indépendantes de mes actes. Il se trouvait que ceux-ci paraissaient confirmer cette appréciation, mais même en l'absence de telles conjonctures, Emilia ne m'eût sans doute pas jugé différemment.

L'étrangeté de son comportement m'en donnait la preuve. Elle aurait pu dès le début me parler, m'avertir, s'ouvrir à moi pour dissiper l'équivoque cruelle dans laquelle avait sombré notre amour. Mais elle ne l'avait pas fait, persistant – je le lui avais crié cet après-midi même – à ne pas vouloir être détrompée, afin de pouvoir continuer à me mépriser.

J'étais resté étendu sur la chaise longue. Dans l'agitation irrépressible que me communiquaient ces pensées, je me levai presque machinalement et allai m'accouder à la balustrade. Peut-être cherchais-je à me calmer en contemplant la sérénité de la nuit. Mais comme je tendais mon visage brûlant au souffle de brise qui semblait monter de la mer, je pensai brusquement que je ne méritais pas cet apaisement. L'homme qui encourt le mépris ne peut ni ne doit trouver la paix tant que la réprobation pèse sur lui. Comme les pécheurs au Jugement Dernier, il a beau supplier : « Montagnes, recouvrez-moi, mers submergez-moi… », la réprobation le suit jusque dans le lieu le plus caché, son âme en est pénétrée et il l'emporte partout avec lui. Je revins m'étendre sur la chaise longue et d'une main tremblante allumai une cigarette. Méprisable ou non – et j'étais sûr de ne pas mériter ce qualificatif – il me restait en tout cas mon intelligence qu'Emilia elle-même ne me contestait pas et qui constituait l'essentiel de mes avantages et de ma justification. Je pouvais me réfugier dans la pensée, quel que fût son objet ; en face de tout problème mon devoir était d'exercer intrépidement mon raisonnement. Si par lassitude je ne me servais pas de mon intelligence, il ne me resterait vraiment que la sensation déprimante de ma prétendue bassesse.

Et ma pensée se remettait à travailler avec obstination et lucidité. En quoi pouvait donc consister ce côté méprisable de mon caractère ? Invinciblement me revenaient à l'esprit les paroles de Rheingold définissant à son insu ma position en face d'Emilia, alors qu'il croyait définir celle d'Ulysse vis-à-vis de Pénélope : « Ulysse, l'homme civilisé, Pénélope, la primitive. » En somme, après avoir provoqué inconsciemment par son interprétation extravagante de *L'Odyssée* la crise suprême de notre vie conjugale, Rheingold m'offrait – à la manière de la lance d'Achille guérissant après avoir blessé – la consolation de me dire non « méprisable », mais « civilisé ». Consolation relativement acceptable. En substance, j'étais l'homme civilisé qui dans une situation de caractère primitif, en face d'une faute contre l'honneur, se refuse au geste du coup de couteau ; l'homme civilisé qui raisonne même en face des choses sacrées ou réputées telles. Certes je n'étais rien moins que sûr que notre histoire conjugale ressemblât à celle d'Ulysse et de Pénélope, telle que l'imaginait le metteur en scène et cette explication valable dans le domaine de l'histoire ne l'était pas dans celui de la conscience, tout intime et personnel, hors du temps et de l'espace. Là, notre démon intérieur est seul à faire la loi. L'histoire ne pouvait me justifier et m'absoudre que dans son propre domaine. Mais ce domaine, en dépit des analogies qu'il me proposait, ne correspondait nullement à la situation dans laquelle je souhaitais agir et vivre.

Mais alors pourquoi Emilia avait-elle cessé de m'aimer et pourquoi me méprisait-elle ? Pourquoi surtout son besoin de me mépriser ? Je me souvenais de sa phrase : « Parce que tu n'es pas un homme » et de l'accent simple et sincère avec lequel elle énonçait ce lieu commun : peut-être ces mots contenaient-ils la clé de toute l'attitude d'Emilia vis-à-vis de moi. Ils révélaient en effet, en négatif, l'image idéale qu'Emilia se faisait de « l'homme qui est un homme » suivant ses propres termes, cet homme que je n'étais pas et ne pouvais être. D'autre part, cet aphorisme si imprécis et sommaire laissait comprendre qu'un tel idéal n'était pas, chez elle, le fruit d'une expérience raisonnée des valeurs humaines, mais celui des conventions du milieu auquel elle appartenait. Pour ce milieu Battista, avec sa force animale et le prestige de ses succès, représentait au contraire l'homme qui est un homme. Emilia elle-même me l'avait révélé par les regards presque admiratifs dont elle enveloppait le producteur tandis qu'il parlait, le soir de notre arrivée ; et aussi par sa défaite en face des désirs de Battista, cette défaite eût-elle pour cause première le dépit et le chagrin. En somme, Emilia me méprisait et tenait à me mépriser parce que malgré son intégrité et sa simplicité, ou plutôt à cause d'elles, elle était obnubilée par les lieux communs du monde des Battista. Or un de ces lieux communs concernait la dépendance forcée de l'homme pauvre vis-à-vis du riche, c'est-à-dire l'impossibilité pour le pauvre d'être « un homme ». Je n'aurais pu jurer qu'Emilia me suspectait vraiment d'avoir favorisé par intérêt les visées de Battista, mais j'étais certain de ce qu'elle aurait pensé en l'occurrence : « Riccardo dépend de Battista, étant payé par lui ; il compte sur lui pour avoir d'autres travaux ; or Battista me fait la cour, donc Riccardo me suggère de devenir sa maîtresse... »

Je m'étonnai de ne pas y avoir songé plus tôt. Comment avais-je pu définir avec tant de lucidité (grâce à leurs interprétations de *L'Odyssée*) les façons respectives dont Battista et Rheingold envisageaient la vie et ne m'étais-je pas rendu compte qu'Emilia en se forgeant une image de moi si différente de la vérité avait fait la même chose qu'eux. La seule différence était que le metteur en scène et le producteur interprétaient les figures d'Ulysse et de Pénélope, deux personnages imaginaires, tandis qu'Emilia appliquait les conventions auxquelles elle se soumettait à deux êtres vivants : elle et moi. Ainsi, d'un mélange d'intégrité morale et d'inconsciente vulgarité serait née, chez elle, l'idée, non admise mais non démentie, que j'avais voulu la pousser dans les bras de Battista.

Pour envisager toutes les données du problème, imaginons – me dis-je – qu'Emilia ait à choisir entre les trois interprétations de *L'Odyssée,* celle de Battista, celle de Rheingold et la mienne. Elle peut certes admettre les considérations d'ordre commercial qui, chez Battista, militent en faveur d'une *Odyssée* spectaculaire. Elle peut même approuver les conceptions limitées et psychologiques de Rheingold ; mais elle n'est certainement pas en mesure, malgré son bon sens et sa droiture, de s'élever jusqu'à mon interprétation, la plus proche d'Homère et de Dante. Et cela non seulement par ignorance, mais parce que au lieu de vivre dans un monde idéal, elle se contente du monde tout matériel des Rheingold et des Battista.

Ainsi donc j'avais fait le tour de la question. Emilia était en même temps la femme de mes rêves et celle qui me jugeait et me méprisait sur les données d'un misérable lieu commun : Pénélope, dix ans fidèle à son époux absent, et la dactylo qui voyait la vénalité là où il n'y en avait pas. Pour retrouver l'Emilia que j'aimais et obtenir qu'elle me juge équitablement, il me faudrait l'arracher à son milieu, l'introduire dans un monde aussi dénué de complications qu'elle-même, où l'argent ne compte pas, où le langage garde son sens intégral, un monde auquel je pouvais aspirer mais qui n'existe pas, comme me le faisait remarquer Rheingold.

Pourtant je devais continuer à vivre et à travailler dans le monde des Rheingold et des Battista. Qu'allais-je faire ? La première chose évidemment était de me libérer de cet angoissant complexe d'infériorité dû à l'absurde soupçon d'un caractère congénitalement méprisable. Car tel était en effet le sens secret de l'attitude d'Emilia : elle m'attribuait une bassesse en quelque sorte constitutionnelle, non imputable à mes actes, mais à ma nature. Or j'étais certain qu'aucun être ne peut être intrinsèquement méprisable ; mais pour me débarrasser de mon complexe d'infériorité, je devais d'abord convaincre Emilia.

Je me rappelai la triple image d'Ulysse que me proposait le scénario de *L'Odyssée* : celle de Battista, celle de Rheingold et la mienne, celle d'Homère en substance. Cette triple image évoquait à mes yeux trois modes de vie. Pourquoi nos conceptions du personnage d'Ulysse étaient-elles si différentes ? L'image que se forgeait Battista, superficielle, vulgaire et irrationnelle, correspondait à son existence, à son idéal ou plutôt à ses propres intérêts. Celle plus vraisemblable, mais piètre et bornée de Rheingold s'accordait avec l'envergure morale et artistique du metteur en scène. Enfin la mienne, la plus élevée et la plus naturelle, la plus poétique et la plus vraie, jaillissait de mon aspiration impuissante sans doute, mais sincère, à une vie sans compromissions d'argent, où l'idéal remplaçât les théories physiologiques et matérialistes. Que mon image préférée fût la meilleure était déjà pour moi une consolation. Il me restait à me modeler sur cette image que je n'avais pu imposer pour le scénario et que je ferais difficilement triompher dans la vie. C'était l'unique manière de convaincre Emilia et de reconquérir son estime et son amour. Mais comment faire ? Je ne voyais d'autre moyen que de l'aimer encore davantage, de lui prouver sans cesse la pureté et le désintéressement de mon amour.

Pour le moment, il ne fallait surtout pas qu'elle se sentît contrainte, forcée. La meilleure solution serait de rester jusqu'au jour suivant puis de partir par le bateau de l'après-midi sans la revoir ni lui parler. De Rome je lui écrirais une longue lettre lui expliquant ce que je n'avais su dire de vive voix.

Arrivé à ce point de mes réflexions, j'entendis un bruit de voix calmes qui paraissait venir du sentier passant en dessous de la terrasse et je reconnus les voix de Battista et d'Emilia. Précipitamment je rentrai dans ma chambre et m'y enfermai. Mais je n'avais pas sommeil et il me semblait que j'allais trop souffrir dans cette pièce étouffante, à sentir la présence des deux autres non loin de moi. J'avais apporté de Rome un somnifère très actif, car je souffrais d'insomnies depuis quelque temps. J'en pris le double de la dose habituelle et, la rage au cœur, je me jetai tout habillé sur le lit. Je dus m'endormir presque aussitôt car je ne me souviens pas d'avoir entendu les voix d'Emilia et de Battista plus de quelques minutes.

22

Je m'éveillai tard à en juger par les rayons du soleil passant au travers des persiennes et pendant un moment j'écoutai le silence profond, si différent de celui de la ville qui, même total, semble encore déchiré par l'écho de toutes les rumeurs passées. Alors tandis qu'immobile sur le lit je tendais l'oreille vers ce silence vierge, je crus découvrir que quelque chose y manquait. Non ces bruits familiers qui paraissent confirmer le silence lui-même et le rendre plus profond (moteur électrique montant l'eau de la citerne... balai promené par la servante sur le carrelage...), mais une présence. Ce silence, malgré sa plénitude, ne vivait pas ; on eût dit que quelque chose lui avait été soustrait : c'était un silence d'abandon.

À peine ce mot que j'avais cherché me traversa-t-il l'esprit que je sautai du lit et courus à la porte communiquant avec la chambre d'Emilia. En l'ouvrant, la première chose qui frappa mon regard fut une lettre posée sur l'oreiller au centre du grand lit défait et désert. Elle était brève :

« Cher Riccardo, puisque tu ne veux pas partir, c'est moi qui m'en vais. Seule, je n'en aurais peut-être pas eu le courage ; mais je profite du départ de Battista. D'ailleurs j'aurais peur de rester seule et sa compagnie me semble après tout préférable à la solitude. Mais une fois à Rome je le laisserai aller de son côté et j'irai vivre du mien. Si tu apprenais toutefois que je suis devenue sa maîtresse, ne t'étonne pas : je ne suis pas de bois et surtout cela signifiera que le courage m'a manqué... Adieu. Emilia. »

Quand j'eus fini de lire ces lignes, je m'assis sur le lit, la lettre à la main, les yeux perdus dans le vide. Par la fenêtre grande ouverte, j'apercevais des pins et à travers leurs troncs la paroi rocheuse. Puis, de la fenêtre, mon regard fit le tour de la chambre : tout y sentait le désordre, un désordre d'absence : pas de vêtements, de souliers, d'objets de toilette... des tiroirs béants et vides, l'armoire aux battants grands ouverts sur des cintres nus ; rien qui traînât sur les sièges. J'avais souvent pensé depuis quelque temps qu'Emilia pouvait me quitter, j'y pensais comme à une catastrophe possible ; maintenant j'étais en pleine catastrophe. Une douleur sourde montait en moi, paraissant venir du fond de moi-même ; comme un arbre déraciné pourrait avoir mal aux racines qui le retenaient à la terre. En vérité, j'avais été déraciné d'un seul coup et, comme l'arbre que je viens d'évoquer, mes racines étaient arrachées du sol. Emilia, cette douce terre qui les avait nourries de son amour leur manquait maintenant et, faute de pouvoir s'alimenter, elles allaient se dessécher peu à peu ; déjà je les sentais flétries et j'en souffrais indiciblement.

Finalement je retournai dans ma chambre. Je me sentais étourdi, assommé comme après une chute grave, quand sous la douleur sourde que l'on éprouve on sent poindre en le redoutant le spasme aigu qui va bientôt se déchaîner. Tout en surveillant ma douleur latente sans vouloir m'y appesantir de peur de la réveiller, je pris machinalement mon maillot de bain, sortis de la villa, parcourus le sentier qui fait le tour de l'île et arrivai sur la place de Capri. Là j'achetai un journal, m'assis dans un café et alors qu'il me semblait impossible de penser à autre chose qu'à mon malheur, je lus les nouvelles de la première à la dernière ligne. Pareil à la mouche dont un enfant cruel a arraché la tête et qui, malgré cette mutilation, continue pendant quelques instants à se promener et à se nettoyer les pattes avant de s'abattre pour mourir, j'étais comme insensible. Enfin midi sonna et l'horloge du clocher emplit la place du bruit de ses douze coups. Un autobus s'apprêtait à partir pour la plage de Piccola-Marina, j'y montai.

Quelques minutes plus tard je descendais sur la place inondée de soleil où, dans une âcre odeur d'urine, stationnaient les voitures de place dont les cochers, assis en cercle, bavardaient tranquillement. D'un pas léger je descendis l'escalier conduisant à l'établissement de bains. D'en haut, je voyais l'étroite grève aux cailloux blancs et la mer bleue étalée sous le ciel sans nuages. De quel calme elle était, cette mer, lisse et satinée jusqu'à l'horizon, paresseusement striée des grandes traces diaphanes des courants, sous l'éblouissante lumière! Je me dis qu'il ferait bon m'en aller en barque, ramer me ferait du bien et puis je serais seul, chose impossible sur la plage déjà peuplée de baigneurs. Arrivé à l'établissement, j'appelai un garçon et lui demandai de me préparer une barque. Puis j'allai me déshabiller dans une cabine.

Une fois sorti, je marchai pieds nus sur la terrasse, les yeux baissés, attentif à ne pas me blesser aux aspérités des dalles sèches et corrodées par le sel. Le soleil de juin me tapait sur la tête, brûlait mon dos et m'environnait de sa forte lumière, m'emplissant d'une sensation de bien-être qui contrastait amèrement avec la stupeur de mon âme. Les yeux toujours rivés au sol, je descendis l'escalier rapide et m'avançai vers le bord de l'eau, sur les cailloux brûlants. Ce n'est qu'à peu de distance de la rive que je levai les yeux et alors je vis… Emilia.

Le garçon de l'établissement, un vieux maigre et vigoureux, à la peau tannée, la tête recouverte d'un informe chapeau de paille enfoncé jusqu'aux yeux, se tenait près de la barque déjà à moitié dans l'eau. Emilia était assise en poupe, dans le bikini d'un vert éteint que je connaissais bien. Les jambes étroitement serrées, appuyée sur ses bras rejetés en arrière, sa svelte taille nue un peu tordue par rapport à ses hanches, elle avait une pose pleine de grâce féminine. Devant ma stupéfaction, elle me sourit et me regarda fixement comme pour me dire: «Oui, c'est moi… ne dis rien… n'aie pas l'air surpris… »

J'obéis à cette muette recommandation et silencieux, plus mort que vif, le cœur en tumulte, j'acceptai machinalement la main que me tendait le garçon de l'établissement et sautai dans la barque. Le vieux, dans l'eau jusqu'à mi-jambes, enfila les rames dans leurs montants et poussa la barque vers le large. Je m'assis, saisis les rames et me mis à ramer la tête basse, sous le soleil brûlant, dans la direction du promontoire qui ferme la petite baie. En une dizaine de minutes, je l'eus atteint. Je n'avais pas ouvert la bouche ni n'avais levé les yeux sur ma femme. J'éprouvai une sorte de retenue à lui parler tant que la plage, ses cabines et ses baigneurs étaient en vue. Comme toujours lorsque je voulais lui parler intimement, j'avais besoin de solitude autour de nous.

Mais tandis que je ramais, une soudaine remontée d'amertume, mêlée à une nouvelle et étrange joie, fit jaillir les larmes de mes yeux. Les paupières me brûlaient et chaque fois qu'une larme coulait le long de mes joues j'en sentais la trace corrosive. Arrivé à la hauteur du promontoire, je ramai plus fort pour résister au courant qui, à cet endroit, rend l'eau agitée et tourbillonnante. À ma droite, un petit rocher noir laissait émerger sa tête toute perforée ; à gauche la paroi de la falaise. Je poussai l'avant du bateau dans ce passage, ramai avec vigueur à travers l'eau bouillonnante et dépassai le promontoire. La roche, là où elle baignait dans la mer, était blanche de sel et chaque fois que refluait la vague, on voyait luire au soleil les barbes vertes des lichens ou quelque fruit de mer rouge et brillant. Passé le cap, un vaste demi-cercle d'éboulis de rochers m'apparut ; çà et là entre les blocs, de petites plages couvertes de cailloux blancs. La mer était déserte, pas une barque, pas un être en vue. L'eau de la baie était d'un bleu foncé, on l'eût dite opaque et huileuse, à cause sans doute de la grande profondeur. Plus loin d'autres promontoires se profilaient l'un derrière l'autre sur la mer unie et scintillante, semblables aux portants d'un bizarre décor naturel.

Enfin je ralentis mon effort et levai les yeux sur Emilia. Comme si elle avait attendu pour parler d'avoir dépassé le promontoire, elle me sourit et me demanda d'une voix douce : – Pourquoi pleures-tu ?

– Je pleure de la joie de te voir !

– Cela te fait donc tant de plaisir ?

– Oh ! oui… je te croyais partie… et voilà que tu es restée… !

Elle baissa les yeux en disant : – J'avais décidé de partir… ce matin je suis descendue au port avec Battista… et au dernier moment j'ai changé d'avis et je suis restée.

– Qu'as-tu fait depuis lors ?

– J'ai erré le long du port… je me suis assise dans un café… puis je suis remontée à Capri par le funiculaire et j'ai téléphoné à la villa, on m'a dit que tu étais sorti… j'ai pensé que tu étais allé à Piccola-Marina et je suis venue te rejoindre… je me suis déshabillée et t'ai attendu… pendant que tu demandais une barque, j'étais étendue au soleil, mais tu as passé à côté de moi sans me voir… alors tandis que tu te changeais, je suis montée dans la barque.

Je gardai un moment le silence. Nous étions maintenant à mi-chemin entre le promontoire déjà dépassé et une autre pointe qui fermait la baie. Au-delà se trouvait la Grotte Verte où j'avais eu l'intention de me baigner.

– Et pourquoi, contrairement à ta décision, n'es-tu pas partie avec Battista ? Pourquoi es-tu restée ? – demandai-je à voix basse.

– Parce qu'en réfléchissant ce matin j'ai compris que je m'étais trompée sur ton compte… que tout n'était qu'un malentendu…

– Qu'est-ce qui t'a fait penser cela ?

– Je ne sais pas… peut-être l'accent de ta voix hier au soir…

– Et maintenant tu es vraiment convaincue que je n'ai jamais commis les vilaines choses dont tu m'accusais ?

– Tout à fait convaincue…

Il me restait encore une dernière question à poser, la plus importante peut-être : – Tu ne me juges pas méprisable ?… même sans rien avoir fait de mal ?… je veux dire : méprisable de nature, en moi-même… dis, tu ne le crois pas, Emilia ?

– Je ne l'ai jamais cru… je pensais que tu avais mal agi et j'en avais perdu mon estime pour toi… mais puisqu'il s'agissait d'un malentendu, n'en parlons plus, veux-tu ?

Cette fois je n'ajoutai rien et elle garda aussi le silence ; alors je me mis à ramer avec une force nouvelle, décuplée par la joie qui, tel un soleil levant, surgissait en moi, réchauffant mon âme glacée. Cependant nous étions arrivés à hauteur de la Grotte Verte et je dirigeai la barque vers l'antre sombre dont la voûte s'arrondissait au-dessus d'un miroir d'eau d'un vert profond.

– M'aimes-tu ? – osai-je alors demander.

Elle hésita, puis avec une sorte de tristesse qui me surprit : – Je t'ai toujours aimé… je t'aimerai toujours…

J'insistai, alarmé par cet accent : – Pourquoi le dis-tu si tristement ?

– Je ne sais… peut-être eût-ce été plus beau si aucun malentendu ne nous avait séparés… si nous nous étions toujours aimés comme autrefois.

– Oui – dis-je – mais désormais tout cela est fini… il ne faut plus y penser… nous nous aimons maintenant pour toujours…

Elle parut acquiescer d'un signe de tête, mais sans lever les yeux, toujours un peu triste. Je lâchai les rames et me penchant vers elle : – Allons à la Grotte Rouge ; c'est une grotte plus petite et plus profonde qui se trouve derrière celle-ci… au fond, il y a une toute petite plage, dans les ténèbres… nous nous y aimerons, veux-tu ?

Elle opina de la tête, en silence, me fixant longuement d'un air de complicité discrète et un peu confuse. Et je repris les rames. Nous étions maintenant dans la grotte, sous la grande voûte rocheuse où se reflétait gaiement le réseau mobile et serré des mille lueurs vertes du soleil et de l'eau. Tout au fond, là où les vagues se poussant par intervalles, faisaient retentir la voûte d'un grondement sourd, l'eau était obscure, coupée parfois par l'arête noire d'un rocher qui émergeait comme la croupe d'un animal marin. Entre deux rochers s'ouvrait le passage, tel un soupirail lumineux, qui menait à la Grotte Rouge. Emilia ne faisait pas un mouvement, elle me regardait, suivant des yeux chacun de mes gestes, dans une sorte d'expectative sensuelle et docile, comme une femme prête à se donner et qui n'attend qu'un signe. M'aidant des rames contre les parois du passage, sous la voûte parsemée de stalactites, je dirigeai la barque vers le couloir aboutissant à la Grotte Rouge. – Gare à ta tête – dis-je à Emilia et d'un seul coup de rame je poussai la barque sur l'eau calme, à l'intérieur de la caverne.

La Grotte Rouge se divise en deux parties séparées par un abaissement de la voûte ; au-delà elle fait un coude et s'enfonce jusqu'à la petite plage qui forme le fond. L'obscurité était presque complète et les yeux avaient besoin de s'y habituer avant d'apercevoir la petite grève souterraine, étrangement colorée de cette lumière rougeâtre qui a donné son nom à la Grotte. – Il fait vraiment sombre – dis-je – mais dès que nos yeux ne seront plus éblouis, nous y verrons. – Poussée par la vitesse acquise, la barque glissait dans l'obscurité, sous la voûte basse et je ne vis plus rien. Enfin j'entendis l'avant du bateau heurter la rive, pénétrant dans le gravier de la plage avec un crissement sonore. Alors j'abandonnai les rames et, me soulevant à demi, je tendis la main dans le noir, vers l'arrière du bateau. – Donne-moi la main – dis-je – je vais t'aider à descendre. – Je n'eus pas de réponse. Surpris, je répétai : – Donne-moi la main, Emilia. – Comme elle ne répondait toujours pas, je me penchai davantage, prudemment pour ne pas risquer de la heurter et je la cherchai à tâtons. Ma main ne rencontra que le vide et, sous mes doigts, là où j'aurais dû toucher son corps, je sentis le bois lisse du banc vide. La peur se mêla soudain à ma stupeur. – Emilia – criai-je – Emilia ! Un écho glacé me répondit seul. Cependant mes yeux s'étaient habitués et commençaient à distinguer dans l'ombre épaisse la barque à demi échouée, la plage de fin gravier noir, la voûte vaguement lumineuse qui s'incurvait au-dessus de ma tête. Et je vis alors que la barque était vide, la plage déserte et qu'autour de moi il n'y avait personne : j'étais tout seul.

Les yeux rivés sur l'arrière du bateau, hébété, j'appelai : – Emilia ! – mais cette fois à voix basse – Emilia... où es-tu ? – Et brusquement je compris ; je sortis du bateau et me jetai sur le sol, enfouissant mon visage dans le gravier humide. Je dus m'évanouir, car je restai immobile, privé de sentiment, un temps qui me parut interminable.

Plus tard je me relevai, remontai machinalement dans la barque et la poussai hors de la grotte. Comme j'en sortais, la lumière crue du soleil reflété sur la mer m'éblouit. Je regardai l'heure à mon bracelet-montre : il était deux heures de l'après-midi. J'étais resté plus d'une heure dans la grotte. Je me souvins que midi est l'heure des fantômes et je sus que c'était devant un fantôme que j'avais parlé et pleuré.

23

Je mis longtemps à revenir ; de temps en temps je m'arrêtais de ramer et je restais immobile, les rames hors de l'eau, les yeux fixés sur la surface embrasée de la mer. Il était certain que j'avais eu une hallucination ; un peu comme deux jours auparavant quand, en face d'Emilia étendue nue au soleil, j'avais cru me pencher sur elle et l'embrasser, alors que je n'avais pas fait un mouvement et ne m'étais pas approché d'elle. Cette fois, l'hallucination avait été beaucoup plus précise. Que c'eût été une hallucination et rien de plus me le prouvait le dialogue fantastique que j'avais cru avoir avec le fantôme d'Emilia, dialogue dans lequel je lui avais fait dire tout ce que je souhaitais entendre et comme je souhaitais l'entendre. Tout était venu de moi ; tout revenait à moi. Et, seule différence avec ce qui se passe en de telles circonstances, je ne m'étais pas borné à imaginer la réalisation de mes désirs, mais la force du sentiment qui m'animait m'avait donné l'illusion de la réalité. Chose étrange à dire : je ne m'étonnais pas d'avoir eu cette hallucination plus que rare, unique peut-être. Comme si je continuais à être sous son empire, mon esprit s'efforçait d'en recréer tous les détails un à un, m'attardant avec une sorte de volupté sur ceux qui me plaisaient et me consolaient. Comme elle était belle, Emilia, assise à l'arrière du bateau, non plus hostile, mais pleine d'amour ! Que ses paroles étaient douces ! Qu'il était troublant et violent le sentiment qui m'agitait lorsque je lui disais mon désir d'elle et qu'elle y répondait en inclinant la tête ! Tel un homme qui vient de faire un rêve voluptueux et précis et, éveillé, en savoure longuement tous les aspects et toutes les sensations, j'étais encore sous le coup de mon hallucination ; j'y croyais, j'étais heureux de la revivre par la mémoire. Et peu m'importait que ce fût une illusion, puisque j'éprouvais les mêmes sentiments que dans la réalité.

Tandis que je m'attardais avec une complaisance inépuisable sur les détails de l'apparition, j'eus de nouveau l'idée de confronter l'heure à laquelle j'étais parti en barque de Piccola-Marina avec celle où j'étais sorti de la Grotte Rouge et une fois encore je fus étonné d'être resté si longtemps là-bas, sur la petite plage souterraine : plus d'une heure si j'évaluais à trois quarts d'heure le parcours de Piccola-Marina à la grotte. Comme je l'ai déjà dit j'avais attribué cette durée à un évanouissement ou tout au moins à une sorte de léthargie, d'absence complète. Mais en revivant mon hallucination si parfaite et en même temps si conforme à mes plus secrètes aspirations, je me demandai si par hasard je n'avais pas tout simplement rêvé. Si je ne m'étais pas embarqué tout seul, avais pénétré seul dans la grotte et m'étais étendu sur la petite plage où finalement je me serais endormi. Pendant ce sommeil j'aurais rêvé mon départ en barque avec Emilia assise à l'arrière... rêvé que je lui parlais, qu'elle me répondait, que je lui proposais de faire l'amour et que nous nous enfoncions tous deux dans la grotte. Et tout le reste aussi n'aurait été qu'un rêve : lui tendre la main pour l'aider à descendre... ne plus la trouver... avoir peur... penser que j'avais promené un fantôme sur la mer, me jeter sur la plage et m'évanouir... ce n'aurait été qu'un rêve !

Cette supposition me semblait maintenant vraisemblable, mais tout au plus. L'esprit obscurci, égaré par mon imagination, je n'arrivais pas à tracer la limite entre le songe et la réalité, cette limite qui devait se fixer au moment où je m'étais couché sur la petite plage souterraine. Qu'était-il arrivé à ce moment précis ? M'étais-je endormi et avais-je rêvé qu'Emilia était avec moi, la vraie Emilia en chair et en os ? Ou, dans mon sommeil avais-je rêvé que le fantôme de ma femme me visitait ? Ou peut-être encore avais-je, tout endormi, rêvé que je dormais et que je faisais l'un ou l'autre de ces deux rêves ? Comme dans ces boîtes chinoises dont chacune en contient une plus petite, la réalité paraissait contenir un rêve qui contenait une réalité, laquelle à son tour contenait encore un rêve et ainsi à l'infini. Que de fois, sur la mer, les rames hors de l'eau, je me posai la question : avais-je rêvé, avais-je eu une hallucination, ou, chose plus insolite, un fantôme m'était-il vraiment apparu ? J'arrivai enfin à la conclusion qu'il m'était impossible de le savoir et que je ne le saurais probablement jamais.

Je finis par arriver à l'établissement de bains. Je me rhabillai rapidement, remontai sur la place et eus juste le temps de sauter dans un autobus qui partait pour Capri. J'étais pressé de rentrer à la maison ; sans savoir pourquoi j'avais l'impression que je trouverais à la villa la clé de tous ces mystères. J'avais hâte aussi de rentrer car il me fallait encore déjeuner et faire ma valise avant de partir par le bateau de six heures et j'avais perdu du temps. De la place je pris presque en courant le sentier qui fait le tour de l'île. Vingt minutes après j'étais à la villa.

Je n'eus pas le temps, en entrant dans le living-room, d'être pénétré par la triste atmosphère de solitude et d'abandon. Sur la table au couvert mis, à côté de mon assiette, un télégramme m'attendait. Sans penser à rien, vaguement troublé, j'ouvris l'enveloppe jaune. Le nom de Battista au bas du texte me surprit et me donna un instant l'espoir d'une bonne nouvelle. Mais je lus le télégramme : en quelques mots il m'annonçait que par suite d'un fatal accident, Emilia était dans un état très grave.

Arrivé à ce point de mon récit, je m'aperçois que je n'ai presque plus rien à ajouter. Il est superflu de raconter comment je partis dans l'après-midi et comment, à mon arrivée à Naples, j'appris qu'Emilia était morte d'un accident d'automobile, tout près de Terracina. La mort était survenue dans des circonstances étranges. Emilia, me dit-on, sous l'influence de la chaleur et de la fatigue, s'était endormie, la tête baissée, le menton sur la poitrine. Battista, à son habitude, conduisait à une très vive allure. Soudain un char traîné par des bœufs avait débouché d'une route transversale. Battista avait donné un violent coup de frein et après un échange d'injures avec le charretier, était reparti aussitôt. Mais la tête d'Emilia oscillait de droite et de gauche et elle ne disait rien. Battista lui avait adressé la parole sans obtenir de réponse ; à un tournant, elle s'était écroulée contre lui. Battista avait stoppé et s'était alors rendu compte qu'Emilia était morte. Le brusque coup de frein avait surpris son corps dans une pose de complet abandon, les muscles relâchés comme dans le sommeil. Le choc dû à l'arrêt subit de la voiture avait provoqué chez ma femme une rupture de la colonne vertébrale. Elle était morte sans s'en apercevoir.

Il faisait une chaleur étouffante, intolérable pour la douleur qui, comme la joie, ne supporte la présence d'aucun autre sentiment. Les funérailles eurent lieu dans une atmosphère suffocante, sous un ciel couvert, dans un air lourd et humide. Le soir, toutes les formalités finies, je fermai la porte derrière moi en rentrant dans notre appartement désormais vide et inutile et je compris enfin qu'Emilia était morte et que je ne la reverrais jamais plus. Toutes les fenêtres de l'appartement étaient grandes ouvertes afin de ménager la possibilité d'un léger courant d'air, mais je n'en étouffais pas moins pendant que j'errais d'une pièce à l'autre, sur le carrelage reluisant, dans la pénombre crépusculaire. Les fenêtres des maisons voisines tout éclairées, les habitants visibles de l'extérieur allant et venant dans les pièces, me donnaient un sentiment de frénésie, leur atmosphère de calme évoquant pour moi un monde où l'on s'aimait sans malentendus, où des gens qui s'étaient aimés vivaient en paix, un monde dont je me sentais exclu pour toujours. Je n'aurais pu y rentrer qu'à la condition de m'expliquer avec Emilia, de la convaincre, de faire revivre le miracle de l'amour qui pour exister doit embraser non seulement notre cœur, mais celui d'autrui. Désormais ce ne m'était plus possible et je me sentais devenir fou à la pensée que la mort d'Emilia était peut-être une suprême et définitive manifestation d'hostilité à mon égard.

Mais la vie était là qu'il fallait bien accepter. Je repris ma valise que je n'avais pas pris le temps d'ouvrir, fermai au verrou la porte de ma maison et confiai les clés à la concierge en lui exposant mon intention de me défaire de l'appartement dès mon retour de villégiature. Et je repartis pour Capri. Un étrange espoir me poussait à y revenir, comme si, mieux qu'ailleurs, dans ce lieu où elle m'était apparue, Emilia pourrait me réapparaître. Alors je lui montrerais sous leur vrai jour les choses qu'elle avait mal interprétées, je lui déclarerais une fois de plus mon amour et elle me témoignerait de nouveau qu'elle me comprenait et m'aimait. Cet espoir était pure folie et je m'en rendais compte. Mais jamais, comme en ces jours je ne frôlai une espèce de démence raisonnée, à mi-chemin entre le dégoût de la réalité et la nostalgie de l'hallucination.

Heureusement pour moi, Emilia ne me réapparut pas, ni en rêve, ni en état de veille. Et en comparant l'heure à laquelle elle m'était apparue avec l'heure de sa mort, je découvris que ces temps ne concordaient pas. Emilia était encore en vie lorsque je l'avais vue assise dans la barque ; mais vraisemblablement elle était déjà morte lors de mon évanouissement sur la plage au fond de la Grotte Rouge. Ainsi rien ne coïncidait dans la vie comme dans la mort. Et je ne saurais jamais si j'avais vu un fantôme, ou si j'avais été le jouet d'une hallucination, d'un rêve ou de quelque autre erreur. L'équivoque qui avait empoisonné notre vie continuait encore après sa mort.

Hanté par ma nostalgie d'elle et des lieux où je l'avais vue pour la dernière fois, je me rendis un jour à la plage en dessous de la villa, où je l'avais aperçue dans sa nudité et avais eu l'illusion que je l'embrassais. La plage était déserte ; en cheminant à travers les éboulis de rochers et en contemplant l'étendue toute bleue et riante de la mer, j'évoquai soudain *L'Odyssée*, Ulysse et Pénélope ; et je me dis que, comme eux, Emilia se trouvait maintenant au sein de ces grands espaces marins, fixée pour l'éternité dans la forme qu'elle avait revêtue durant sa vie. Il dépendait de moi, et non d'un rêve ou d'une hallucination, de la retrouver et de continuer, sereinement désormais, notre dialogue terrestre. Ce n'est qu'à ce prix que je serais délivré, qu'elle serait libérée de mes sentiments et qu'elle pourrait alors se pencher sur moi comme une belle image consolante. Et je décidai d'écrire ces souvenirs avec l'espoir de la retrouver ainsi dans la paix.